Pierre Caillères

204

BM

Personnages

■ Lieu

■ Moyen de transports

■ Dates

Cet objet appartient à
Pierre Caillères, toute
personne prise à le voler,
le vendotiser sont
prises sous pour une
amande de remboursement.

© 2004, l'école des loisirs, Paris
Loi numéro 49.956 du 16 juillet 1949 sur les publications
destinées à la jeunesse : mars 2004
Dépôt légal : juin 2006
Imprimé en France par Bussière
à Saint-Amand-Montrond
N° d'édit. : 8954. — N° d'impr. : 061933/1.

Jules Verne
Michel Strogoff

Abrégé par Boris Moissard

Classiques abrégés
l'école des loisirs
11, rue de Sèvres, Paris 6e

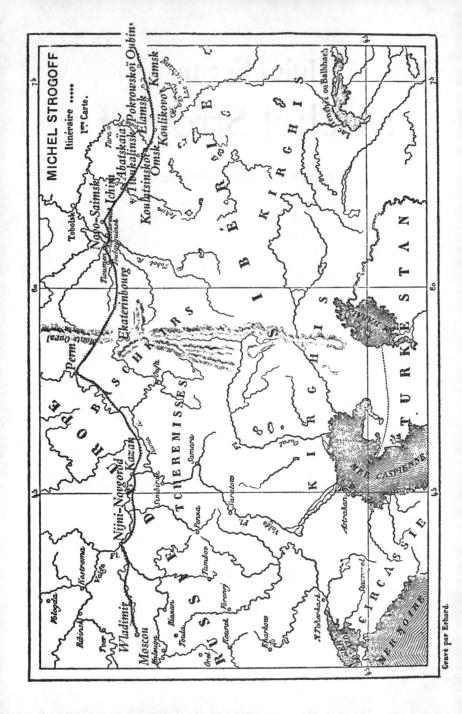

MICHEL STROGOFF
Itinéraire +++++
1re Carte.

Gravé par Erhard.

PREMIÈRE PARTIE

CHAPITRE PREMIER

Une fête au Palais-Neuf

— Sire, une nouvelle dépêche.

— D'où vient-elle?

— De Tomsk.

— Le fil est coupé au-delà de cette ville?

— Il est coupé depuis hier.

— D'heure en heure, général, fais passer un télégramme à Tomsk, et que l'on me tienne au courant.

— Oui, Sire, répondit le général Kissoff.

Ces paroles étaient échangées à deux heures du matin, au moment où la fête, donnée au Palais-Neuf, était dans toute sa magnificence. Le principal personnage du bal, celui qui donnait cette fête, et auquel le général Kissoff avait attribué une qualification réservée aux souverains, était simplement vêtu d'un uniforme d'officier des chasseurs de la garde.

Ce personnage, haut de taille, l'air affable, la physionomie calme, le front soucieux cependant, allait d'un groupe à l'autre, mais il parlait peu, et même il ne semblait prêter qu'une vague attention, soit aux propos joyeux des jeunes invités, soit aux paroles plus graves des hauts fonctionnaires ou des membres du corps diplomatique qui représentaient près de lui les principaux États de l'Europe.

Cependant, le général Kissoff attendait que l'officier auquel il venait de communiquer la dépêche expédiée de Tomsk lui donnât l'ordre de se retirer, mais celui-ci restait silencieux. Il avait pris le télégramme, il l'avait lu, et son front s'assombrit davantage.

— Ainsi, reprit-il après avoir conduit le général Kissoff dans l'embrasure d'une fenêtre, depuis hier nous sommes sans communication avec le grand-duc mon frère ?

— Sans communication, Sire, et il est à craindre que les dépêches ne puissent bientôt plus passer la frontière sibérienne.

— Et du traître Ivan Ogareff, on n'a aucune nouvelle ?

— Aucune, répondit le général Kissoff. Le directeur de la police ne saurait affirmer s'il a passé ou non la frontière.

— Que son signalement soit immédiatement envoyé à tous les postes télégraphiques avec lesquels le fil correspond encore !

— Les ordres de Votre Majesté vont être exécutés à l'instant, répondit le général Kissoff.

— Silence sur tout ceci!

Cependant, le fait grave qui avait motivé ces paroles, rapidement échangées, n'était pas aussi ignoré que l'officier des chasseurs de la garde et le général Kissoff pouvaient le croire. On n'en parlait pas officiellement, il est vrai, ni même officieusement, puisque les langues n'étaient pas déliées par ordre, mais quelques hauts personnages avaient été informés plus ou moins exactement des événements qui s'accomplissaient au-delà de la frontière. En tout cas, ce qu'ils ne savaient peut-être qu'à peu près, ce dont ils ne s'entretenaient pas, même entre membres du corps diplomatique, deux invités qu'aucun uniforme, aucune décoration ne signalait à cette réception du Palais-Neuf, en causaient à voix basse et paraissaient avoir reçu des informations assez précises.

De ces deux hommes, l'un était anglais, l'autre français, tous deux grands et maigres — celui-ci brun comme les Méridionaux de la Provence —, celui-là roux comme un gentleman du Lancashire.

L'Anglais était un correspondant du *Daily Telegraph*, et le Français, un correspondant du… De quel journal ou de quels journaux, il ne le disait pas, et lorsqu'on le lui demandait, il répondait plaisamment qu'il correspondait avec «sa cousine Madeleine».

Et si tous deux assistaient à cette fête, donnée au Palais-Neuf dans la nuit du 15 au 16 juillet, c'était en qualité de journalistes, et pour la plus grande édification de leurs lecteurs.

7

Le correspondant français se nommait Alcide Jolivet. Harry Blount était le nom du correspondant anglais. Ils venaient de se rencontrer pour la première fois à cette fête du Palais-Neuf, dont ils avaient été chargés de rendre compte dans leur journal. La discordance de leur caractère, jointe à une certaine jalousie de métier, devait les rendre assez peu sympathiques l'un à l'autre.

Cependant, ils ne s'évitèrent pas et cherchèrent plutôt à se pressentir réciproquement sur les nouvelles du jour.

— Vraiment, monsieur, cette petite fête est charmante! dit d'un air aimable Alcide Jolivet, qui crut devoir entrer en conversation par cette phrase éminemment française.

— J'ai déjà télégraphié: splendide! répondit froidement Harry Blount, en employant ce mot, spécialement consacré pour exprimer l'admiration quelconque d'un citoyen du Royaume-Uni.

— Cependant, ajouta Alcide Jolivet, j'ai cru devoir marquer en même temps à ma cousine…

— Votre cousine?… répéta Harry Blount d'un ton surpris, en interrompant son confrère.

— Oui… reprit Alcide Jolivet, ma cousine Madeleine… C'est avec elle que je corresponds! Elle aime à être informée vite et bien, ma cousine! J'ai donc cru devoir lui marquer que, pendant cette fête, une sorte de nuage avait semblé obscurcir le front du souverain.

— Précisément.

— Vous rappelez-vous, monsieur Blount, dit Alcide Jolivet, ce qui s'est passé à Zakret en 1812?

— Je me le rappelle comme si j'y avais été, monsieur, répondit le correspondant anglais.

— Alors, reprit Alcide Jolivet, vous savez qu'au milieu d'une fête donnée en son honneur, on annonça à l'empereur Alexandre que Napoléon venait de passer le Niémen avec l'avant-garde française. Cependant, l'empereur ne quitta pas la fête, et, malgré l'extrême gravité d'une nouvelle qui pouvait lui coûter l'empire, il ne laissa pas percer plus d'inquiétude…

— Que ne vient d'en montrer notre hôte, lorsque le général Kissoff lui a appris que les fils télégraphiques venaient d'être coupés entre la frontière et le gouvernement d'Irkoutsk.

— Ah! vous connaissez ce détail?

— Je le connais.

— Alors vous savez aussi que des ordres ont été envoyés aux troupes de Nikolaevsk?

— Oui, monsieur, en même temps qu'on télégraphiait aux Cosaques du gouvernement de Tobolsk de se concentrer.

— Rien n'est plus vrai, monsieur Blount, ces mesures m'étaient également connues, et croyez bien que mon aimable cousine en saura dès demain quelque chose!

— Exactement comme le sauront, eux aussi, les lecteurs du *Daily Telegraph*, monsieur Jolivet.

Et, là-dessus, les deux correspondants se séparèrent,

assez contents, en somme, de savoir que l'un n'avait pas distancé l'autre.

En ce moment, les portes des salles contiguës au grand salon furent ouvertes. Les invités du Palais-Neuf commencèrent alors à se diriger vers les salles du souper. À cet instant, le général Kissoff, qui venait de rentrer, s'approcha rapidement de l'officier des chasseurs de la garde.

— Eh bien? lui demanda vivement celui-ci, ainsi qu'il avait fait la première fois.

— Les télégrammes ne passent plus Tomsk, Sire.

— Un courrier à l'instant!

L'officier quitta le grand salon et entra dans une vaste pièce y attenant. C'était un cabinet de travail, très simplement meublé en vieux chêne, et situé à l'angle du Palais-Neuf. L'officier ouvrit vivement la fenêtre, comme si l'oxygène eût manqué à ses poumons, et il vint respirer, sur un large balcon, cet air pur que distillait une belle nuit de juillet.

Sous ses yeux, baignée par les rayons lunaires, s'arrondissait une enceinte fortifiée, dans laquelle s'élevaient deux cathédrales, trois palais et un arsenal. Autour de cette enceinte se dessinaient trois villes distinctes, Kitaï-Gorod, Beloï-Gorod, Zemlianoï-Gorod, immenses quartiers européens, tartares ou chinois, que dominaient les tours, les clochers, les minarets, les coupoles de trois cents églises, aux dômes verts, surmontés de croix d'argent. Une petite rivière, au cours sinueux, réverbérait çà et là les rayons de la lune.

Cette rivière, c'était la Moskova, cette ville, c'était Moscou, cette enceinte fortifiée, c'était le Kremlin, et l'officier des chasseurs de la garde, qui, les bras croisés, le front songeur, écoutait vaguement le bruit jeté par le Palais-Neuf sur la vieille cité moscovite, c'était le czar.

CHAPITRE II

Russes et Tartares

Si le czar avait si inopinément quitté les salons du Palais-Neuf, au moment où la fête qu'il donnait aux autorités civiles et militaires et aux principaux notables de Moscou était dans tout son éclat, c'est que de graves événements s'accomplissaient alors au-delà des frontières de l'Oural. On ne pouvait plus en douter, une redoutable invasion menaçait de soustraire à l'autonomie russe les provinces sibériennes.

Le czar était, depuis quelques instants, immobile à la fenêtre de son cabinet, lorsque les huissiers en ouvrirent de nouveau la porte. Le grand maître de police apparut sur le seuil.

— Entre, général, dit le czar d'une voix brève, et dis-moi tout ce que tu sais d'Ivan Ogareff.

— C'est un homme extrêmement dangereux, Sire, répondit le grand maître de police.

— Il avait rang de colonel ?

— Oui, Sire.

— C'était un officier intelligent ?

— Très intelligent, mais impossible à maîtriser, et d'une ambition effrénée qui ne reculait devant rien. Il s'est bientôt jeté dans de secrètes intrigues, et c'est alors qu'il a été cassé de son grade par Son Altesse le grand-duc, puis exilé en Sibérie.

— À quelle époque ?

— Il y a deux ans. Gracié après six mois d'exil par la faveur de Votre Majesté, il est rentré en Russie.

— Et, depuis cette époque, n'est-il pas retourné en Sibérie ?

— Oui, Sire, il y est retourné, mais volontairement cette fois, répondit le grand maître de police.

— Ivan Ogareff, demanda le czar, n'est-il pas rentré une seconde fois en Russie après ce voyage dans les provinces sibériennes, voyage dont le véritable but est resté inconnu ?

— Il y est rentré.

— En dernier lieu, où était Ivan Ogareff ?

— À Perm.

— À quel moment a-t-il quitté Perm ?

— Vers le mois de mars.

— Pour aller ?...

— On l'ignore.

— Eh bien, je le sais, moi ! répondit le czar. Des avis anonymes, qui n'ont pas passé par les bureaux de la police, m'ont été adressés, et, en présence des faits qui s'accomplissent maintenant au-delà de la frontière, j'ai tout lieu de croire qu'ils sont exacts !

— Voulez-vous dire, Sire, s'écria le grand maître de police, qu'Ivan Ogareff a la main dans l'invasion tartare?

— Oui, général, et je vais t'apprendre ce que tu ignores. Ivan Ogareff, après avoir quitté le gouvernement de Perm, a passé les monts Oural. Il s'est jeté en Sibérie, dans les steppes kirghizes, et, là, il a tenté, non sans succès, de soulever ces populations nomades. Il est alors descendu plus au sud, jusque dans le Turkestan libre. Là, aux khanats de Boukhara, de Khokand, de Koundouze, il a trouvé des chefs disposés à jeter leurs hordes tartares dans les provinces sibériennes et à provoquer une invasion générale de l'Empire russe en Asie. Le mouvement a été fomenté secrètement, mais il vient d'éclater comme un coup de foudre, et maintenant les voies et moyens de communication sont coupés entre la Sibérie occidentale et la Sibérie orientale! De plus, Ivan Ogareff, altéré de vengeance, veut attenter à la vie de mon frère!

— Et le frère de Votre Majesté, Son Altesse le grand-duc, en ce moment isolé dans le gouvernement d'Irkoutsk, n'est plus en communication directe avec Moscou?

— Non.

— Mais il doit savoir, par les dernières dépêches, quelles sont les mesures prises par Votre Majesté et quels secours il doit attendre des gouvernements les plus rapprochés de celui d'Irkoutsk?

— Il le sait, répondit le czar, mais ce qu'il ignore,

c'est qu'Ivan Ogareff, en même temps que le rôle de rebelle, doit jouer le rôle de traître, et qu'il a en lui un ennemi personnel et acharné. C'est au grand-duc qu'Ivan Ogareff doit sa première disgrâce, et, ce qu'il y a de plus grave, c'est que cet homme n'est pas connu de lui. Le projet d'Ivan Ogareff est donc de se rendre à Irkoutsk, et là, sous un faux nom, d'offrir ses services au grand-duc. Puis, après qu'il aura capté sa confiance, lorsque les Tartares auront investi Irkoutsk, il livrera la ville, et avec elle mon frère, dont la vie est directement menacée. Voilà ce que je sais par mes rapports, voilà ce que ne sait pas le grand-duc, et voilà ce qu'il faut qu'il sache !

– Eh bien, Sire, un courrier intelligent, courageux...

– Je l'attends.

Toute la basse Sibérie occidentale était-elle en feu ? Le soulèvement s'étendait-il déjà jusqu'aux régions de l'est ? on ne pouvait le dire. Le seul agent qui ne craint ni le froid ni le chaud, celui que ni les rigueurs de l'hiver ni les chaleurs de l'été ne peuvent arrêter, qui vole avec la rapidité de la foudre, le courant électrique, ne pouvait plus se propager à travers la steppe, et il n'était plus possible de prévenir le grand-duc, enfermé dans Irkoutsk, du danger dont le menaçait la trahison d'Ivan Ogareff.

Un courrier seul pouvait remplacer le courant interrompu. Il faudrait, à cet homme, un certain temps pour franchir les cinq mille deux cents verstes

(5 523 kilomètres) qui séparent Moscou d'Irkoutsk. Il devrait, pour traverser les rangs des rebelles et des envahisseurs, déployer à la fois un courage et une intelligence pour ainsi dire surhumains. Mais, avec de la tête et du cœur, on va loin!

«Trouverai-je cette tête et ce cœur?» se demandait le czar.

CHAPITRE III

Michel Strogoff

La porte du cabinet impérial s'ouvrit bientôt, et l'huissier annonça le général Kissoff.

– Ce courrier? demanda vivement le czar.

– Il est là, Sire, répondit le général Kissoff.

– Tu as trouvé l'homme qu'il fallait?

– J'ose en répondre à Votre Majesté.

– Est-il prêt à partir?

– Il attend dans la salle des gardes les ordres de Votre Majesté.

– Qu'il vienne, dit le czar.

Quelques instants plus tard, le courrier Michel Strogoff entrait dans le cabinet impérial.

Michel Strogoff était haut de taille, vigoureux, épaules larges, poitrine vaste. Ce beau et solide garçon, bien campé, bien planté, n'eût pas été facile à déplacer malgré lui, car, lorsqu'il avait posé ses deux pieds sur le sol, il semblait qu'ils s'y fussent enracinés.

Ses yeux étaient d'un bleu foncé, avec un regard droit, franc, inaltérable, et ils brillaient sous une arcade dont les muscles sourciliers, contractés faiblement, témoignaient d'un courage élevé. Son nez puissant, large de narines, dominait une bouche symétrique avec les lèvres un peu saillantes de l'être généreux et bon.

Michel Strogoff était vêtu d'un élégant uniforme militaire, qui se rapprochait de celui des officiers de chasseurs à cheval en campagne, bottes, éperons, pantalon demi-collant, pelisse bordée de fourrure et agrémentée de soutaches jaunes sur fond brun. Sur sa large poitrine brillaient une croix et plusieurs médailles.

Michel Strogoff appartenait au corps spécial des courriers du czar, et il avait rang d'officier parmi ces hommes d'élite. Ce qui se sentait particulièrement dans sa démarche, dans sa physionomie, dans toute sa personne, et ce que le czar reconnut sans peine, c'est qu'il était un «exécuteur d'ordres». Il possédait donc l'une des qualités les plus recommandables en Russie, suivant l'observation du célèbre romancier Tourguéniev, qualité qui conduit aux plus hautes positions de l'empire moscovite.

Le czar, sans lui adresser la parole, le regarda pendant quelques instants et l'observa d'un œil pénétrant. Puis, le czar, satisfait de cet examen, sans doute, retourna près de son bureau, et, faisant signe au grand maître de police de s'y asseoir, il lui dicta à voix basse une lettre qui ne contenait que quelques lignes.

La lettre libellée, le czar la relut avec une extrême

attention, puis il la signa, après avoir fait précéder son nom de ces mots: «*Byt po sémou*», qui signifient: «Ainsi soit-il», et constituent la formule sacramentelle des empereurs de Russie. La lettre fut alors introduite dans une enveloppe, que ferma le cachet aux armes impériales. Le czar, se relevant alors, dit à Michel Strogoff de s'approcher.

— Ton nom? demanda-t-il.

— Michel Strogoff, Sire.

— Ton grade?

— Capitaine au corps des courriers du czar.

— Tu connais la Sibérie?

— Je suis sibérien.

— Tu es né?...

— À Omsk.

— As-tu des parents à Omsk?

— Ma vieille mère.

Le czar suspendit un instant la série de ses questions. Puis, montrant la lettre qu'il tenait à la main:

— Voici une lettre, dit-il, que je te charge, toi, Michel Strogoff, de remettre en mains propres au grand-duc et à nul autre que lui.

— Je la remettrai, Sire.

— Le grand-duc est à Irkoutsk.

— J'irai à Irkoutsk.

— Mais il faudra traverser un pays soulevé par des rebelles, envahi par des Tartares, qui auront intérêt à intercepter cette lettre.

— Je le traverserai.

– Tu te défieras surtout d'un traître, Ivan Ogareff, qui se rencontrera peut-être sur ta route.

– Je m'en défierai.

– Passeras-tu par Omsk ?

– C'est mon chemin, Sire.

– Si tu vois ta mère, tu risques d'être reconnu. Il ne faut pas que tu voies ta mère !

Michel Strogoff eut une seconde d'hésitation.

– Je ne la verrai pas, dit-il.

– Jure-moi que rien ne pourra te faire avouer ni qui tu es ni où tu vas !

– Je le jure.

– Michel Strogoff, reprit alors le czar, en remettant le pli au jeune courrier, prends donc cette lettre, de laquelle dépend le salut de toute la Sibérie et peut-être la vie du grand-duc mon frère.

– Cette lettre sera remise à Son Altesse le grand-duc.

Le czar parut satisfait de l'assurance simple et calme avec laquelle Michel Strogoff lui avait répondu.

– Va donc, Michel Strogoff, dit-il, va pour Dieu, pour la Russie, pour mon frère et pour moi !

Michel Strogoff salua militairement, quitta aussitôt le cabinet impérial, et, quelques instants après, le Palais-Neuf.

CHAPITRE IV

De Moscou à Nijni-Novgorod

La distance que Michel Strogoff allait franchir entre Moscou et Irkoutsk était de cinq mille deux cents verstes. Lorsque le fil télégraphique n'était pas encore tendu entre les monts Oural et la frontière orientale de la Sibérie, le service des dépêches se faisait par des courriers dont les plus rapides employaient dix-huit jours à se rendre de Moscou à Irkoutsk. Mais c'était là l'exception, et cette traversée de la Russie asiatique durait ordinairement de quatre à cinq semaines.

Telle était donc la situation, que Michel Strogoff envisagea nettement, et il se prépara à lui faire face.

D'abord, il ne se trouvait plus dans les conditions ordinaires d'un courrier du czar. Cette qualité, il fallait même que personne ne pût la soupçonner sur son passage. Dans un pays envahi, les espions fourmillent. Lui reconnu, sa mission était compromise. Aussi, en lui remettant une somme importante, qui devait suffire à son voyage et le faciliter dans une certaine mesure, le général Kissoff ne lui donna-t-il aucun ordre écrit portant cette mention: «service de l'empereur», qui est le sésame par excellence. Il se contenta de le munir d'un «*podaroshna*». Ce *podaroshna* était fait au nom de Nicolas Korpanoff, négociant, demeurant à Irkoutsk.

Le *podaroshna* n'est autre chose qu'un permis de

19

prendre les chevaux de poste ; mais Michel Strogoff ne devait s'en servir que dans le cas où ce permis ne risquerait pas de faire suspecter sa qualité, c'est-à-dire tant qu'il serait sur le territoire européen. Michel Strogoff ne devait pas l'oublier : il n'était plus un courrier, mais un simple marchand qui allait de Moscou à Irkoutsk, et, comme tel, soumis à toutes les éventualités d'un voyage ordinaire.

Donc, ce matin même du 16 juillet, n'ayant plus rien de son uniforme, muni d'un sac de voyage qu'il portait sur son dos, vêtu d'un simple costume russe, tunique serrée à la taille, ceinture traditionnelle du moujik, larges culottes, bottes sanglées à la jarretière, Michel Strogoff se rendit à la gare pour y prendre le premier train. Il ne portait point d'armes, ostensiblement du moins ; mais sous sa ceinture se dissimulait un revolver, et, dans sa poche, un de ces larges coutelas qui tiennent du couteau et du yatagan, avec lesquels un chasseur sibérien sait éventrer proprement un ours, sans détériorer sa précieuse fourrure.

Le train dans lequel Michel Strogoff prit place devait le déposer à Nijni-Novgorod. Là s'arrêtait, à cette époque, la voie ferrée qui, reliant Moscou à Saint-Pétersbourg, doit se continuer jusqu'à la frontière russe. C'était un trajet de quatre cents verstes environ (426 kilomètres), et le train allait les franchir en une dizaine d'heures. Michel Strogoff s'étendit donc dans son coin, comme un digne bourgeois que ses affaires n'inquiètent pas outre mesure, et qui cherche à tuer le temps par le sommeil. Néanmoins, comme il n'était pas seul dans son compartiment, il ne dormit que d'un œil et il écouta de ses deux oreilles.

En effet, le bruit du soulèvement des hordes kirghizes et de l'invasion tartare n'était pas sans avoir transpiré quelque peu. Les voyageurs, dont le hasard faisait ses compagnons de voyage, en causaient, mais non sans quelque circonspection.

— Les chevaux de Sibérie vont être réquisitionnés, disait un voyageur, et les communications deviendront bien difficiles entre les diverses provinces de l'Asie centrale !

— Est-il certain, lui demanda son voisin, que les Kirghizes de la horde moyenne aient fait cause commune avec les Tartares ?

— On le dit, répondit le voyageur en baissant la voix, mais qui peut se flatter de savoir quelque chose dans ce pays !

Si, dans ce compartiment, le sujet des conversations particulières ne variait guère, il ne variait pas davantage dans les autres voitures du train ; mais partout un observateur eût observé une extrême circonspection dans les propos que les causeurs échangeaient entre eux.

C'est ce qui fut très justement remarqué par l'un des voyageurs d'un wagon placé en tête du train. Ce voyageur – évidemment un étranger – regardait de tous ses yeux et faisait vingt questions auxquelles on ne répondait que très évasivement. À chaque instant, penché hors de la portière, dont il tenait la vitre baissée, au vif désagrément de ses compagnons de voyage, il ne perdait pas un point de vue de l'horizon de droite. Il demandait le nom des localités les plus insignifiantes, leur orientation, quel était leur commerce, leur industrie, le nombre de leurs habitants, la moyenne de la mortalité par sexe, etc., et tout cela il l'inscrivait sur un carnet déjà surchargé de notes.

C'était le correspondant Alcide Jolivet, et s'il faisait tant de questions insignifiantes, c'est qu'au milieu de tant de réponses qu'elles amenaient il espérait surprendre quelque fait intéressant «pour sa cousine». Mais, naturellement, on le prenait pour un espion, et on ne disait pas devant lui un mot qui eût trait aux événements du jour.

Aussi, voyant qu'il ne pouvait rien apprendre de relatif à l'invasion tartare, écrivit-il sur son carnet: « *Voyageurs d'une discrétion absolue. En matière politique, très durs à la détente.* »

Et tandis qu'Alcide Jolivet notait minutieusement ses impressions de voyage, son confrère, embarqué comme lui dans le même train, et voyageant dans le même but, se livrait au même travail d'observation dans un autre compartiment. Ni l'un ni l'autre ne s'étaient rencontrés, ce jour-là, à la gare de Moscou, et ils ignoraient réciproquement qu'ils fussent partis pour visiter le théâtre de la guerre.

Le correspondant du *Daily Telegraph* avait pu observer combien les événements préoccupaient ces marchands qui se rendaient à Nijni-Novgorod, et à quel point le commerce avec l'Asie centrale était menacé dans son transit.

Aussi n'hésita-t-il pas à noter sur son carnet cette observation on ne peut plus juste : « *Voyageurs extrêmement inquiets. Il n'est question que de la guerre, et ils en parlent avec une liberté qui doit étonner entre le Volga et la Vistule !* » Les lecteurs du *Daily Telegraph* ne pouvaient manquer d'être aussi bien renseignés que la « cousine » d'Alcide Jolivet.

À la gare de Wladimir, de nouveaux voyageurs montèrent dans le train. Entre autres, une jeune fille se présenta à la portière du compartiment occupé par Michel Strogoff. Une place vide se trouvait devant le courrier du czar. La jeune fille s'y plaça, après avoir déposé près d'elle un modeste sac de voyage en cuir rouge qui semblait former tout son bagage. Puis, les yeux baissés, sans même avoir regardé les compagnons de route que le hasard lui donnait, elle se disposa pour un trajet qui devait durer encore quelques heures.

Cette jeune fille devait avoir de seize à dix-sept ans. Sa tête, véritablement charmante, présentait le type slave dans toute sa pureté. Ses yeux étaient bruns avec un regard velouté d'une douceur infinie. Son nez droit se rattachait à ses joues, un peu maigres et pâles, par des ailes légèrement mobiles. Sa bouche était finement dessinée, mais il semblait qu'elle eût, depuis longtemps, désappris de sourire.

Elle portait une longue pelisse de couleur sombre,

sans manches, qui se rajustait gracieusement à son cou par un liséré bleu. Sous cette pelisse, une demi-jupe, sombre aussi, recouvrait une robe qui lui tombait aux chevilles, et dont le pli inférieur était orné de quelques broderies peu voyantes.

Michel Strogoff crut reconnaître dans ces habits la coupe des costumes livoniens. Mais où allait cette jeune fille, seule, à cet âge où l'appui d'un père ou d'une mère, la protection d'un frère, sont pour ainsi dire obligés?

Michel Strogoff l'observait avec intérêt, mais, réservé lui-même, il ne chercha pas à faire naître une occasion de lui parler, bien que plusieurs heures dussent s'écouler avant l'arrivée du train à Nijni-Novgorod.

Mais une circonstance se présenta, qui donna à Michel Strogoff une idée juste du caractère de cette jeune fille. Douze verstes avant d'arriver à la gare de Nijni-Novgorod, à une brusque courbe de la voie ferrée, le train éprouva un choc très violent. Puis, pendant une minute, il courut sur la pente d'un remblai. Voyageurs plus ou moins culbutés, cris, confusion, désordre général dans les wagons, tel fut l'effet produit tout d'abord. On pouvait craindre que quelque accident grave ne se produisît. Aussi, avant même que le train fût arrêté, les portières s'ouvrirent-elles, et les voyageurs, effarés, n'eurent-ils qu'une pensée : quitter les voitures et chercher refuge sur la voie.

Michel Strogoff songea tout d'abord à sa voisine ;

mais, tandis que les voyageurs de son compartiment se précipitaient au-dehors, criant et se bousculant, la jeune fille était restée tranquillement à sa place, le visage à peine altéré par une légère pâleur. Elle attendait. « Une énergique nature ! » pensa Michel Strogoff.

Cependant, tout danger avait promptement disparu. Une rupture du bandage du wagon de bagages avait provoqué d'abord le choc, puis l'arrêt du train, mais peu s'en était fallu que, rejeté hors des rails, il n'eût été précipité du haut du remblai dans une fondrière. Il y eut là une heure de retard. Enfin, la voie dégagée, le train reprit sa marche, et, à huit heures et demie du soir, il arrivait en gare à Nijni-Novgorod.

Avant que personne eût pu descendre des wagons, les inspecteurs de police se présentèrent aux portières et examinèrent les voyageurs. Michel Strogoff montra son *podaroshna*, libellé au nom de Nicolas Korpanoff.

La jeune fille, elle, présenta un permis revêtu d'un cachet particulier et qui semblait être d'une nature spéciale. L'inspecteur le lut avec attention. Puis, après avoir examiné attentivement celle dont il contenait le signalement :

— Tu es de Riga ? dit-il.

— Oui, répondit la jeune fille.

— Tu vas à Irkoutsk ?

— Oui.

En entendant ces demandes et ces réponses, Michel Strogoff éprouva à la fois un sentiment de surprise et de pitié. Quoi! cette jeune fille seule, en route pour cette lointaine Sibérie, et cela, lorsque, à ses dangers habituels, se joignaient tous les périls d'un pays envahi et soulevé! Comment arriverait-elle? Que deviendrait-elle?...

L'inspection finie, les portières des wagons furent alors ouvertes, mais, avant que Michel Strogoff eût pu faire un mouvement vers elle, la jeune Livonienne, descendue la première, avait disparu dans la foule qui encombrait les quais de la gare.

CHAPITRE V

Un arrêté en deux articles

Nijni-Novgorod, Novgorod-la-Basse, située au confluent du Volga[1] et de l'Oka, est le chef-lieu du gouvernement de ce nom. C'était là que Michel Strogoff devait abandonner la voie ferrée, qui, à cette époque, ne se prolongeait pas au-delà de cette ville. Ainsi donc, à mesure qu'il avançait, les moyens de communication devenaient d'abord moins rapides, ensuite moins sûrs. Comme il ne pouvait partir immédiatement, puisqu'il lui fallait prendre le steamboat du Volga, il dut s'enquérir d'un gîte quelconque.

1. Au XIXᵉ siècle, le nom de ce fleuve était encore du genre masculin.

À son grand déplaisir, il apprit que le *Caucase* – c'était le nom du steam-boat – ne partait pour Perm que le lendemain à midi.

Voilà donc Michel Strogoff, allant par la ville, et cherchant, sans trop s'en inquiéter, quelque auberge afin d'y passer la nuit. Mais de cela il ne s'embarrassait guère, et, sans la faim qui le talonnait, il eût probablement erré jusqu'au matin dans les rues de Nijni-Novgorod. Ce dont il se mit en quête, ce fut d'un souper plutôt que d'un lit. Or il trouva les deux à l'enseigne de la *Ville de Constantinople*.

Son souper terminé, Michel Strogoff, au lieu de monter à sa chambre, reprit machinalement sa promenade à travers la ville. Mais, bien que le long crépuscule se prolongeât encore, déjà la foule se dissipait, les rues se faisaient peu à peu désertes, et chacun regagnait son logis.

Après avoir marché pendant une heure environ, il vint s'asseoir sur un banc adossé à une grande case de bois, qui s'élevait, au milieu de beaucoup d'autres, sur une très vaste place. Il était là depuis cinq minutes, lorsqu'une main s'appuya fortement sur son épaule.

– Qu'est-ce que tu fais là ? lui demanda d'une voix rude un homme de haute taille qu'il n'avait pas vu venir.

– Je me repose, répondit Michel Strogoff.

– Est-ce que tu aurais l'intention de passer la nuit sur ce banc ? reprit l'homme.

– Oui, si cela me convient, répliqua Michel Strogoff d'un ton un peu trop accentué pour le simple marchand qu'il devait être.

– Approche donc qu'on te voie ! dit l'homme.

Michel Strogoff, se rappelant qu'il fallait être prudent avant tout, recula instinctivement.

– On n'a pas besoin de me voir, répondit-il.

Et il mit, avec sang-froid, un intervalle d'une dizaine de pas entre son interlocuteur et lui. Il lui sembla alors, en l'observant bien, qu'il avait affaire à une sorte de bohémien, tel qu'il s'en rencontre dans toutes les foires, et dont il n'est pas agréable de subir le contact ni physique ni moral. Puis, en regardant plus attentivement dans l'ombre qui commençait à s'épaissir, il aperçut près de la case un vaste chariot, demeure habituelle et ambulante de ces zingaris ou tsiganes qui fourmillent en Russie, partout où il y a quelques kopecks à gagner.

Cependant, le bohémien avait fait deux ou trois pas en avant, et il se préparait à interpeller plus directement Michel Strogoff, quand la porte de la case s'ouvrit. Une femme, à peine visible, s'avança vivement, et dans un idiome assez rude, que Michel Strogoff reconnut être un mélange de mongol et de sibérien :

– Encore un espion ! dit-elle. Laisse-le faire et viens souper.

– Tu as raison, Sangarre ! D'ailleurs, nous serons partis demain !

— Demain? répliqua à mi-voix la femme d'un ton qui dénotait une certaine surprise.

— Oui, Sangarre, répondit le bohémien, demain, et c'est le Père lui-même qui nous envoie... où nous voulons aller!

Là-dessus, l'homme et la femme rentrèrent dans la case, dont la porte fut fermée avec soin. «Bon! se dit Michel Strogoff, si ces bohémiens tiennent à ne pas être compris, quand ils parleront devant moi, je leur conseille d'employer une autre langue!» En sa qualité de Sibérien, et pour avoir passé son enfance dans la steppe, Michel Strogoff entendait presque tous ces idiomes usités depuis la Tartarie jusqu'à la mer Glaciale. Quant à la signification précise des paroles échangées entre le bohémien et sa compagne, il ne s'en préoccupa pas davantage. En quoi cela pouvait-il l'intéresser?

L'heure étant déjà fort avancée, il songea alors à rentrer à l'auberge, afin d'y prendre quelque repos. Il suivit, en s'en allant, le cours du Volga, dont les eaux disparaissaient sous la sombre masse d'innombrables bateaux. L'orientation du fleuve lui fit alors reconnaître quel était l'endroit qu'il venait de quitter. Cette agglomération de chariots et de cases occupait précisément la vaste place où se tenait, chaque année, le principal marché de Nijni-Novgorod — ce qui expliquait, en cet endroit, le rassemblement de ces bateleurs et bohémiens venus de tous les coins du monde.

Michel Strogoff, une heure après, dormait d'un

sommeil quelque peu agité sur un de ces lits russes, qui semblent si durs aux étrangers, et le lendemain, 17 juillet, il se réveillait au grand jour. Cinq heures encore à passer à Nijni-Novgorod, cela lui semblait un siècle. Que pouvait-il faire pour occuper cette matinée, si ce n'était d'errer comme la veille à travers les rues de la ville. Une fois son déjeuner fini, son sac bouclé, son *podaroshna* visé à la maison de police, il n'aurait plus qu'à partir. Mais, n'étant point homme à se lever après le soleil, il quitta son lit, il s'habilla, il plaça soigneusement la lettre aux armes impériales au fond d'une poche pratiquée dans la doublure de sa tunique, sur laquelle il serra sa ceinture ; puis, il ferma son sac et l'assujettit sur son dos. Cela fait, ne voulant pas revenir à la *Ville de Constantinople*, et comptant déjeuner sur les bords du Volga, près de l'embarcadère, il régla sa dépense et quitta l'auberge.

Michel Strogoff, après avoir traversé le Volga sur un pont de bateaux, gardé par des Cosaques à cheval, arriva à l'emplacement même où, la veille, il s'était heurté à quelque campement de bohémiens.

C'était un peu en dehors de la ville que se tenait cette foire de Nijni-Novgorod, avec laquelle celle de Leipzig elle-même ne saurait rivaliser. Il convient d'ajouter ici que cette fois, au moins, la France et l'Angleterre étaient chacune représentées au grand marché de Nijni-Novgorod par deux des produits les plus distingués de la civilisation moderne, MM. Harry Blount et Alcide Jolivet.

Michel Strogoff, une main dans sa poche, tenant de l'autre sa longue pipe à tuyau de merisier, semblait être le plus indifférent et le moins impatient des hommes. Tout en circulant entre les groupes, il observait qu'une réelle inquiétude se montrait chez tous les marchands venus des contrées voisines de l'Asie. Depuis la veille, les aides de camp, partant du palais du gouverneur général, s'élançaient en toutes directions. Il se faisait donc un mouvement inaccoutumé, que la gravité des événements pouvait seule expliquer.

Or Michel Strogoff se trouvait précisément sur la place centrale, lorsque le bruit se répandit que le maître de police venait d'être mandé par estafette au palais du gouverneur général. Une importante dépêche, arrivée de Moscou, disait-on, motivait ce déplacement.

Le maître de police se rendit donc au palais du gouverneur, et aussitôt, comme par un pressentiment général, la nouvelle circula que quelque mesure grave, en dehors de toute prévision, de toute habitude, allait être prise. Michel Strogoff écoutait ce qui se disait, afin d'en profiter, le cas échéant.

— On va fermer la foire ! s'écriait l'un.

— Le régiment de Nijni-Novgorod vient de recevoir son ordre de départ ! répondait l'autre.

— On dit que les Tartares menacent Tomsk !

— Voici le maître de police ! cria-t-on de toutes parts.

Le maître de police arriva au milieu de la place centrale, et chacun put voir qu'il tenait une dépêche à la main. Alors, d'une voix haute, il lut la déclaration suivante :

ARRÊTÉ DU GOUVERNEUR
DE NIJNI-NOVGOROD
1° Défense à tout sujet russe de sortir de la province, pour quelque cause que ce soit.
2° Ordre à tous étrangers d'origine asiatique de quitter la province dans les vingt-quatre heures.

CHAPITRE VI

Frère et sœur

Ces mesures, très funestes pour les intérêts privés, les circonstances les justifiaient absolument.

«Défense à tout sujet russe de sortir de la province» : si Ivan Ogareff était encore dans la province, c'était l'empêcher de rejoindre Féofar-Khan, et enlever au chef tartare un lieutenant redoutable.

«Ordre à tous étrangers d'origine asiatique de quitter la province dans les vingt-quatre heures» : c'était éloigner en bloc ces trafiquants venus de l'Asie centrale, ainsi que ces bandes de bohémiens qui ont plus ou moins d'affinités avec les populations tartares ou mongoles et que la foire y avait réunis. Autant de têtes, autant d'espions, et leur expulsion était certainement commandée par l'état des choses.

Mais on comprend aisément l'effet de ces deux coups de foudre, tombant sur la ville de Nijni-Novgorod, nécessairement plus visée et plus atteinte qu'aucune autre.

Aussi s'éleva-t-il tout d'abord contre cette mesure insolite un murmure de protestation, un cri de désespoir, que la présence des Cosaques et des agents de la police eut promptement réprimé.

Et presque aussitôt ce qu'on pourrait appeler le déménagement de cette vaste plaine commença. Les toiles tendues devant les échoppes se replièrent; les théâtres forains s'en allèrent par morceaux; les danses et les chants cessèrent; les parades se turent; les feux s'éteignirent; les cordes des équilibristes se détendirent; les vieux chevaux poussifs de ces demeures ambulantes revinrent des écuries aux brancards.

Au moment où la lecture de l'arrêté avait été faite par le maître de police, Michel Strogoff fut frappé d'un rapprochement qui surgit instinctivement dans son esprit. « Singulière coïncidence! pensa-t-il, entre cet arrêté qui expulse les étrangers et les paroles échangées cette nuit entre ces deux bohémiens. "C'est le Père lui-même qui nous envoie où nous voulons aller!" a dit ce vieillard. Mais "le Père", c'est l'empereur! On ne le désigne pas autrement dans le peuple! Comment ces bohémiens pouvaient-ils prévoir la mesure prise contre eux? Voilà des gens suspects, et auxquels l'arrêté du gouverneur me paraît, cependant, devoir être plus utile que nuisible! »

Michel Strogoff quitta la grande place de Nijni-Novgorod, où le tumulte, produit par l'exécution des mesures prescrites, atteignait en ce moment à son comble. Récriminations des étrangers proscrits, cris des agents et des Cosaques qui les brutalisaient, c'était un tumulte indescriptible.

Il était alors onze heures. Michel Strogoff, bien qu'en toute autre circonstance cela eût été inutile, songea à présenter son *podaroshna* aux bureaux du maître de police. L'arrêté ne pouvait évidemment le concerner, puisque le cas était prévu pour lui, mais il voulait s'assurer que rien ne s'opposerait à sa sortie de la ville.

Michel Strogoff dut donc retourner sur l'autre rive du Volga, dans le quartier où se trouvaient les bureaux du maître de police.

Là, il y avait grande affluence, car si les étrangers avaient ordre de quitter la province, ils n'en étaient pas moins soumis à certaines formalités pour partir. Sans cette précaution, quelque Russe, plus ou moins compromis dans le mouvement tartare, aurait pu, grâce à un déguisement, passer la frontière – ce que l'arrêté prétendait empêcher. On vous renvoyait, mais encore fallait-il que vous eussiez la permission de vous en aller.

Chacun se hâtait, car les moyens de transport allaient être singulièrement recherchés de cette foule de gens expulsés, et ceux qui s'y prendraient trop tard courraient grand risque de ne pas être en mesure de quitter la ville dans le délai prescrit – ce qui les eût exposés à quelque brutale intervention des agents du gouverneur.

Michel Strogoff, grâce à la vigueur de ses coudes, put traverser la cour. Mais entrer dans les bureaux et parvenir jusqu'au guichet des employés, c'était une besogne bien autrement difficile. Cependant, un mot qu'il dit à l'oreille d'un inspecteur et quelques roubles donnés à propos furent assez puissants pour lui faire obtenir passage.

L'agent, après l'avoir introduit dans la salle d'attente, alla prévenir un employé supérieur.

Michel Strogoff ne pouvait donc tarder à être en règle avec la police et libre de ses mouvements.

En attendant, il regarda autour de lui. Et que vit-il ? Là, sur un banc, tombée plutôt qu'assise, une jeune fille, en proie à un muet désespoir, bien qu'il pût à peine voir sa figure, dont le profil seul se dessinait sur la muraille.

Michel Strogoff venait de reconnaître la jeune Livonienne. Ne connaissant pas l'arrêté du gouverneur, elle était venue au bureau de police pour faire viser son permis !... On lui avait refusé le visa. Sans doute elle était autorisée à se rendre à Irkoutsk, mais l'arrêté était formel, il annulait toutes autorisations antérieures, et les routes de la Sibérie lui étaient fermées. Michel Strogoff, très heureux de l'avoir enfin retrouvée, s'approcha de la jeune fille.

Celle-ci le regarda un instant, et son visage s'éclaira d'une lueur fugitive en revoyant son compagnon de voyage. Elle se leva, par instinct, et, comme un naufragé qui se raccroche à une épave, elle allait lui demander assistance...

En ce moment, l'agent toucha l'épaule de Michel Strogoff.

— Le maître de police vous attend, dit-il.

— Bien, répondit Michel Strogoff.

La jeune Livonienne, voyant disparaître celui-là seul qui eût pu peut-être lui venir en aide, retomba sur son banc.

Trois minutes ne s'étaient pas écoulées, que Michel Strogoff reparaissait dans la salle, accompagné d'un agent. Il tenait à la main son *podaroshna*, qui lui faisait libres les routes de la Sibérie.

Il s'approcha alors de la jeune Livonienne, et, lui tendant la main:

— Sœur... dit-il.

Elle comprit! Elle se leva, comme si quelque soudaine inspiration ne lui eût pas permis d'hésiter!

— Sœur, répéta Michel Strogoff, nous sommes autorisés à continuer notre voyage à Irkoutsk. Viens-tu?

— Je te suis, frère, répondit la jeune fille, en mettant sa main dans la main de Michel Strogoff.

Et tous deux quittèrent la maison de police.

CHAPITRE VII

En descendant le Volga

Un peu avant midi, la cloche du steam-boat attirait à l'embarcadère du Volga un grand concours de monde, puisqu'il y avait là ceux qui partaient et ceux qui auraient voulu partir.

À l'heure réglementaire, le dernier coup de cloche retentit, les amarres furent larguées, les puissantes roues du steam-boat battirent l'eau de leurs palettes articulées, et le *Caucase* fila rapidement entre les deux villes dont se compose Nijni-Novgorod.

Michel Strogoff et la jeune Livonienne avaient pris passage à bord. Leur embarquement s'était fait sans aucune difficulté. Le *podaroshna*, libellé au nom de Nicolas Korpanoff, autorisait ce négociant à être accompagné pendant son voyage en Sibérie. C'était donc un frère et une sœur qui voyageaient sous la garantie de la police impériale.

Tous deux, assis à l'arrière, regardaient fuir la ville, si profondément troublée par l'arrêté du gouverneur.

Michel Strogoff n'avait rien dit à la jeune fille, il ne l'avait pas interrogée. Il attendait qu'elle parlât, s'il lui convenait de parler. Celle-ci avait hâte d'avoir quitté cette ville, dans laquelle, sans l'intervention providentielle de ce protecteur inattendu, elle fût restée prisonnière. Elle ne disait rien, mais son regard remerciait pour elle.

Les rives du Volga, éclaboussées par le sillage du steam-boat, se couronnaient de volées de canards qui fuyaient en poussant des cris assourdissants. Un peu plus loin, sur ces plaines sèches, bordées d'aunes, de saules, de trembles, s'éparpillaient quelques vaches d'un rouge foncé, des troupeaux de moutons à toison brune, de nombreuses agglomérations de porcs et de porcelets blanc et noir.

Deux heures après le départ du *Caucase*, la jeune Livonienne, s'adressant à Michel Strogoff, lui dit :

— Tu vas à Irkoutsk, frère ?

— Oui, sœur, répondit le jeune homme. Nous faisons tous les deux la même route. Par conséquent, partout où je passerai, tu passeras.

— Demain, frère, tu sauras pourquoi j'ai quitté les rives de la Baltique pour aller au-delà des monts Oural.

— Je ne te demande rien, sœur.

— Tu sauras tout, répondit la jeune fille, dont les lèvres ébauchèrent un triste sourire. Une sœur ne doit rien cacher à son frère. Mais, aujourd'hui, je ne pourrais !… La fatigue, le désespoir m'avaient brisée !

— Veux-tu reposer dans ta cabine ? demanda Michel Strogoff.

— Oui… oui… et demain…

— Viens donc…

Il hésitait à finir sa phrase, comme s'il eût voulu l'achever par le nom de sa compagne, qu'il ignorait encore.

— Nadia, dit-elle en lui tendant la main.

— Viens, Nadia, répondit Michel Strogoff, et use sans façon de ton frère Nicolas Korpanoff.

Et il conduisit la jeune fille à la cabine qui avait été retenue pour elle sur le salon de l'arrière.

Michel Strogoff revint sur le pont, et, avide des nouvelles qui pouvaient peut-être modifier son itinéraire, il se mêla aux groupes de passagers, écoutant, mais ne prenant point part aux conversations. Il était possible que des inspecteurs de police, chargés de surveiller les passagers, fussent secrètement embarqués à bord du *Caucase*, et mieux valait tenir sa langue, l'expulsion, après tout, étant encore préférable à l'emprisonnement dans une forteresse. Aussi, parmi ces groupes, les propos s'échangeaient avec une telle circonspection, qu'on ne pouvait guère en tirer quelque utile renseignement.

Mais si Michel Strogoff n'eut rien à apprendre de ce côté, si même les bouches se fermèrent plus d'une fois à son approche — car on ne le connaissait pas —, ses oreilles furent bientôt frappées par les éclats d'une voix peu soucieuse d'être ou non entendue.

L'homme à la voix gaie parlait russe, mais avec un accent étranger, et son interlocuteur, plus réservé, lui répondait dans la même langue, qui n'était pas non plus sa langue originelle.

— Comment, disait le premier, comment, vous sur ce bateau, mon cher confrère, vous que j'ai vu à la fête impériale de Moscou, et seulement entrevu à Nijni-Novgorod?

– Moi-même, répondit le second d'un ton sec.

– Eh bien, franchement, je ne m'attendais pas à être immédiatement suivi par vous, et de si près!

– Je ne vous suis pas, monsieur, je vous précède!

– Vous allez à Perm... comme moi?

– Comme vous.

– Et, probablement, vous vous dirigerez de Perm sur Ekaterinbourg, puisque c'est la route la meilleure et la plus sûre par laquelle on puisse franchir les monts Oural?

– Probablement.

– Une fois la frontière passée, nous serons en Sibérie, c'est-à-dire en pleine invasion.

– Nous y serons!

– Eh bien alors, mais seulement alors, ce sera le moment de dire : «Chacun pour soi, et Dieu pour...»

– Dieu pour moi!

– Bravo, monsieur Blount.

– Trop bon, monsieur Jolivet.

Ce disant, le correspondant français salua familièrement le correspondant anglais, qui, inclinant sa tête, lui rendit son salut avec une raideur toute britannique.

Quoi qu'il en soit, au dîner de ce jour, le Français, toujours ouvert et même un peu loquace, l'Anglais, toujours fermé, toujours gourmé, trinquaient à la même table, en buvant un Cliquot authentique, à six roubles la bouteille, généreusement fait avec la sève fraîche des bouleaux du voisinage.

En entendant ainsi causer Alcide Jolivet et Harry Blount, Michel Strogoff s'était dit : « Voici des curieux et des indiscrets que je rencontrerai probablement sur ma route. Il me paraît prudent de les tenir à distance. »

La jeune Livonienne ne vint pas dîner. Elle dormait dans sa cabine, et Michel Strogoff ne voulut pas la faire réveiller. Le soir arriva donc sans qu'elle eût reparu sur le pont du *Caucase*.

Cependant, entre onze heures et deux heures du matin, la lune étant nouvelle, il fit à peu près nuit. Presque tous les passagers du pont dormaient alors, et le silence n'était plus troublé que par le bruit des palettes, frappant l'eau à intervalles réguliers.

Une sorte d'inquiétude tenait éveillé Michel Strogoff. Il allait et venait, mais toujours à l'arrière du steam-boat.

Or il était arrivé à la partie antérieure du pont, et il montait déjà l'échelle du gaillard d'avant, lorsqu'il entendit parler près de lui. Il s'arrêta. Les voix semblaient venir d'un groupe de passagers, enveloppés de châles et de couvertures, qu'il était impossible de reconnaître dans l'ombre.

Les premiers mots qui furent échangés n'avaient aucune importance – du moins pour lui –, mais ils lui permirent de reconnaître précisément les deux voix de femme et d'homme qu'il avait entendues à Nijni-Novgorod. Et bien lui en prit d'écouter, car ce fut assez distinctement qu'il entendit cette demande et cette réponse, faites en idiome tartare :

– On dit qu'un courrier est parti de Moscou pour Irkoutsk !

– On le dit, Sangarre, mais ou ce courrier arrivera trop tard, ou il n'arrivera pas !

Quelques instants après, Michel Strogoff, sans avoir été aperçu, avait regagné l'arrière du steam-boat, et, la tête dans les mains, il s'asseyait à l'écart. On eût pu croire qu'il dormait.

Il ne dormait pas et ne songeait pas à dormir. Il réfléchissait à ceci, non sans une assez vive appréhension : « Qui donc sait mon départ, et qui donc a intérêt à le savoir ? »

CHAPITRE VIII

En remontant la Kama

Le lendemain, 18 juillet, à six heures quarante du matin, le *Caucase* arrivait à l'embarcadère de Kazan, que sept verstes (7 kilomètres et demi) séparent de la ville.

On voyait là des Tartares vêtus d'un cafetan à manches courtes et coiffés de bonnets pointus dont les larges bords rappellent celui du Pierrot traditionnel. D'autres, enveloppés d'une longue houppelande, la tête couverte d'une petite calotte, ressemblaient à des Juifs polonais. Des femmes, la poitrine plastronnée de clinquant, la tête couronnée d'un diadème relevé en forme de croissant, formaient divers groupes dans lesquels on discutait. Des officiers de police, mêlés à cette foule, quelques Cosaques, la lance au poing, maintenaient l'ordre et faisaient faire place aussi bien aux passagers qui débarquaient du *Caucase* qu'à ceux qui y embarquaient, mais après avoir minutieusement examiné ces deux catégories de voyageurs.

Michel Strogoff regardait d'un air assez indifférent ce va-et-vient particulier à tout embarcadère auquel vient d'accoster un steam-boat. Le *Caucase* devait faire escale à Kazan pendant une heure, temps nécessaire au renouvellement de son combustible.

Quant à débarquer, Michel Strogoff n'en eut pas même l'idée. Il n'aurait pas voulu laisser seule à bord la jeune Livonienne, qui n'avait pas encore reparu sur le pont.

Les deux journalistes, eux, s'étaient levés dès l'aube, comme il convient à tout chasseur diligent. Ils descendirent sur la rive du fleuve et se mêlèrent à la foule, chacun de son côté. Michel Strogoff aperçut, d'un côté, Harry Blount, le carnet à la main, crayonnant quelques types ou notant quelque observation, de l'autre, Alcide Jolivet, se contentant de parler, sûr de sa mémoire, qui ne pouvait rien oublier.

Le bruit courait, sur toute la frontière orientale de la Russie, que le soulèvement et l'invasion prenaient des proportions considérables. Les communications entre la Sibérie et l'empire étaient déjà extrêmement difficiles. Voilà ce que Michel Strogoff, sans avoir quitté le pont du Caucase, entendait dire aux nouveaux embarqués.

Or ces propos ne laissaient pas de lui causer une véritable inquiétude, et ils excitaient l'impérieux désir qu'il avait d'être au-delà des monts Oural, afin de juger par lui-même de la gravité des événements et de se mettre en mesure de parer à toute éventualité. Peut-être allait-il même demander des renseignements plus précis à quelque indigène de Kazan, lorsque son attention fut tout à coup distraite.

Parmi les voyageurs qui quittaient le *Caucase*, Michel Strogoff reconnut la troupe des tsiganes qui, la veille, figurait encore sur le champ de foire de Nijni-Novgorod. Là, sur le pont du steam-boat, se trouvaient et le vieux bohémien et la femme qui l'avait traité d'espion. Avec eux, sous leur direction, sans doute, débarquaient une vingtaine de danseuses et de chanteuses, de quinze à vingt ans, enveloppées de mauvaises couvertures qui recouvraient leurs jupes à paillettes.

Michel Strogoff, par un mouvement involontaire, se porta donc vers la coupée du steam-boat, au moment où la troupe bohémienne allait le quitter pour n'y plus revenir.

Le vieux bohémien était là, dans une humble attitude, peu conforme avec l'effronterie naturelle à ses congénères. On eût dit qu'il cherchait plutôt à éviter les regards qu'à les attirer. Son lamentable chapeau, rôti par tous les soleils du monde, s'abaissait profondément sur sa face ridée. Son dos voûté se bombait sous

une vieille souquenille dont il s'enveloppait étroitement, malgré la chaleur. Il eût été difficile, sous ce
misérable accoutrement, de juger de sa taille et de sa
figure.

Près de lui, la tsigane Sangarre, femme de trente
ans, brune de peau, grande, bien campée, les yeux
magnifiques, les cheveux dorés, se tenait dans une
pose superbe.

De ces jeunes danseuses, plusieurs étaient remar-
quablement jolies. L'une d'elles fredonnait une chan-
son d'un rythme étrange, mais Michel Strogoff ne
l'écoutait plus. En effet, il lui sembla que la tsigane
Sangarre le regardait avec une insistance singulière.
On eût dit que cette bohémienne voulait ineffaçable-
ment graver ses traits dans sa mémoire.

Puis, quelques instants après, Sangarre débarquait la
dernière, lorsque le vieillard et sa troupe avaient déjà
quitté le *Caucase*.

«Voilà une effrontée bohémienne! se dit Michel
Strogoff. Est-ce qu'elle m'aurait reconnu pour l'homme
qu'elle a traité d'espion à Nijni-Novgorod?»

Une heure après, la cloche sonnait à l'avant du
Caucase, appelant les nouveaux passagers, rappelant les
anciens. Il était sept heures du matin. Le chargement du
combustible venait d'être achevé. Les tôles des chau-
dières frissonnaient sous la pression de la vapeur. Le
steam-boat était prêt à partir. Les voyageurs, qui allaient
de Kazan à Perm, occupaient déjà leurs places à bord.

En ce moment, Michel Strogoff remarqua que, des

deux journalistes, Harry Blount était le seul qui eût rejoint le steam-boat. Alcide Jolivet allait-il donc manquer le départ?

Mais, à l'instant où l'on détachait les amarres, apparut Alcide Jolivet, tout courant. Le steam-boat avait déjà débordé, la passerelle était même retirée sur le quai, mais Alcide Jolivet ne s'embarrassa pas de si peu, et, sautant avec la légèreté d'un clown, il retomba sur le pont du *Caucase*, presque dans les bras de son confrère.

— J'ai cru que le *Caucase* allait partir sans vous, dit celui-ci d'un air moitié figue, moitié raisin.

— Bah! répondit Alcide Jolivet, j'aurais bien su vous rattraper, quand j'aurais dû fréter un bateau aux frais de ma cousine, ou courir la poste à vingt kopecks par verste et par cheval. Que voulez-vous? Il y avait loin de l'embarcadère au télégraphe!

— Vous êtes allé au télégraphe? demanda Harry Blount, dont les lèvres se pincèrent aussitôt.

— J'y suis allé! répondit Alcide Jolivet avec son plus aimable sourire.

— Et il fonctionne toujours jusqu'à Kolyvan?

— Cela, je l'ignore, mais je puis vous assurer, par exemple, qu'il fonctionne de Kazan à Paris!

— Vous avez adressé une dépêche... à votre cousine?...

— Avec enthousiasme.

— Vous avez donc appris ..?

— Tenez, mon petit père, pour parler comme les

Russes, répondit Alcide Jolivet, je suis bon enfant, moi, et je ne veux rien avoir de caché pour vous. Les Tartares, Féofar-Khan à leur tête, ont dépassé Semipalatinsk et descendent le cours de l'Irtych. Faites-en votre profit!

Vers dix heures du matin, la jeune Livonienne, ayant quitté sa cabine, monta sur le pont. Michel Strogoff, allant à elle, lui tendit la main.

– À quelle distance sommes-nous de Moscou? lui demanda-t-elle.

– À neuf cents verstes! répondit Michel Strogoff.

– Neuf cents sur sept mille! murmura la jeune fille.

C'était l'heure du déjeuner, qui fut annoncé par quelques tintements de la cloche. Nadia suivit Michel Strogoff au restaurant du steam-boat. Elle ne voulut point toucher à ces hors-d'œuvre, servis à part, tels que caviar, harengs coupés par petites tranches, eau-de-vie de seigle anisée, destinés à stimuler l'appétit, suivant un usage commun à tous les pays du Nord, en Russie comme en Suède ou en Norvège.

Ce repas ne fut donc ni long ni coûteux, et, moins de vingt minutes après s'être mis tous les deux à table, Michel Strogoff et Nadia remontaient ensemble sur le pont du *Caucase*.

Alors, ils s'assirent à l'arrière, et, sans autre préambule, Nadia, baissant la voix de manière à n'être entendue que de lui seul:

— Frère, dit-elle, je suis la fille d'un exilé. Je me nomme Nadia Fédor. Ma mère est morte à Riga, il y a un mois à peine, et je vais à Irkoutsk rejoindre mon père pour partager son exil.

— Je vais moi-même à Irkoutsk, répondit Michel Strogoff, et je regarderai comme une faveur du Ciel de remettre Nadia Fédor, saine et sauve, entre les mains de son père.

— Merci, frère! répondit Nadia.

Elle parla alors de son père, Wassili Fédor. C'était un médecin estimé de Riga. Il exerçait sa profession avec succès et vivait heureux au milieu des siens. Mais son affiliation à une société secrète étrangère ayant été établie, il reçut l'ordre de partir pour Irkoutsk, et les gendarmes, qui lui apportaient cet ordre, le conduisirent sans délai au-delà de la frontière.

Wassili Fédor n'eut que le temps d'embrasser sa femme, déjà bien souffrante, sa fille, qui allait peut-être rester sans appui, et, pleurant sur ces deux êtres qu'il aimait, il partit.

Depuis deux ans, il habitait la capitale de la Sibérie orientale, et, là, il avait pu continuer, mais presque sans profit, sa profession de médecin. Néanmoins, peut-être eût-il été heureux, autant qu'un exilé peut l'être, si sa femme et sa fille eussent été près de lui. Mais Mme Fédor, déjà bien affaiblie, n'aurait pu quitter Riga. Vingt mois après le départ de son mari, elle mourut dans les bras de sa fille, qu'elle laissait seule et presque sans ressources. Nadia Fédor demanda alors et obtint facilement du gouvernement russe l'autorisation de rejoindre son père à Irkoutsk. Elle lui écrivit qu'elle partait. À peine avait-elle de quoi suffire à ce long voyage, et, cependant, elle n'hésita pas à l'entreprendre. Elle faisait ce qu'elle pouvait!... Dieu ferait le reste.

Pendant ce temps, le *Caucase* remontait le courant de la rivière. La nuit était venue, et l'air s'imprégnait d'une délicieuse fraîcheur. Des étincelles s'échappaient par milliers de la cheminée du steam-boat, chauffée au bois de pin, et, au murmure des eaux brisées sous son étrave, se mêlaient les rugissements des loups qui infestaient dans l'ombre la rive droite de la Kama.

CHAPITRE IX

En *tarentass* nuit et jour

Le lendemain, 19 juillet, le *Caucase* s'arrêtait au débarcadère de Perm, dernière station qu'il desservît sur la Kama.

C'est à Perm que les voyageurs revendent leurs véhicules, plus ou moins endommagés par une longue traversée au milieu des plaines de la Sibérie. C'est là aussi que ceux qui passent d'Europe en Asie achètent des voitures pendant l'été, des traîneaux pendant l'hiver, avant de se lancer pour plusieurs mois au milieu des steppes.

Michel Strogoff avait déjà arrêté son programme de voyage, et il n'était plus question que de l'exécuter.

Il existe un service de malle-poste qui franchit assez rapidement la chaîne des monts Oural, mais, les circonstances étant données, ce service était désorganisé. Ne l'eût-il pas été, que Michel Strogoff, voulant aller rapidement, sans dépendre de personne, n'aurait pas pris la malle-poste. Il préférait, avec raison, acheter une voiture et courir de relais en relais, en activant par des « *na vodkou*[1] » supplémentaires le zèle de ces postillons appelés *iemschiks* dans le pays.

Mais à quel genre de véhicule atteler ces chevaux ? À une télègue ou à un *tarentass* ?

La télègue n'est qu'un véritable chariot découvert, à quatre roues, dans la confection duquel il n'entre absolument que du bois. Roues, essieux, chevilles, caisse, brancards, les arbres du voisinage ont tout fourni, et l'ajustement des diverses pièces dont la télègue se compose n'est obtenu qu'au moyen de cordes grossières. Quelquefois, il faut bien l'avouer, les liens qui attachent l'appareil se rompent, et, tandis que le train de derrière reste embourbé dans quelque fondrière, le train de devant arrive au relais sur ses deux roues – mais ce résultat est considéré déjà comme satisfaisant.

Michel Strogoff aurait bien été forcé d'employer la télègue, s'il n'eût été assez heureux pour découvrir un *tarentass*.

1. Des pourboires.

50

Ce n'est pas que ce dernier véhicule soit le dernier mot du progrès de l'industrie carrossière. Les ressorts lui manquent aussi bien qu'à la télègue ; le bois, à défaut du fer, n'y est pas épargné ; mais ses quatre roues, écartées de huit à neuf pieds à l'extrémité de chaque essieu, lui assurent un certain équilibre sur des routes cahoteuses et trop souvent dénivelées. Le *tarentass* est d'ailleurs aussi solide, aussi facile à réparer que la télègue, et, d'autre part, il est moins sujet à laisser son train d'arrière en détresse sur les grands chemins.

Du reste, ce ne fut pas sans de minutieuses recherches que Michel Strogoff parvint à découvrir ce *tarentass*, et il était probable qu'on n'en eût pas trouvé un second dans toute la ville de Perm. Malgré cela, il en débattit sévèrement le prix, pour la forme, afin de rester dans son rôle de Nicolas Korpanoff, simple négociant d'Irkoutsk.

Nadia avait suivi son compagnon dans ses courses à la recherche d'un véhicule. Bien que le but à atteindre fût différent, tous deux avaient une égale hâte d'arriver, et, par conséquent, de partir. On eût dit qu'une même volonté les animait.

Une demi-heure plus tard, sur la présentation du *podaroshna*, trois chevaux de poste étaient attelés au *tarentass*. Ces animaux, couverts d'un long poil, ressemblaient à des ours hauts sur pattes. Ils étaient petits, mais ardents, étant de race sibérienne.

Ni Michel Strogoff, ni la jeune Livonienne n'emportaient de bagages. Les conditions de rapidité dans lesquelles devait se faire le voyage de l'un, les ressources plus que modestes de l'autre, leur avaient interdit de s'embarrasser de colis. Dans cette circonstance, c'était heureux, car ou le *tarentass* n'aurait pu prendre les bagages, ou il n'aurait pu prendre les voyageurs. Il n'était fait que pour deux personnes, sans compter l'*iemschik*, qui ne se tient sur son siège étroit que par un miracle d'équilibre. Cet *iemschik* change, d'ailleurs, à chaque relais.

Nadia et Michel Strogoff prirent immédiatement place dans le *tarentass*. Quelques provisions, peu encombrantes et mises en réserve dans le caisson, devaient leur permettre, en cas de retard, d'atteindre les maisons de poste, qui sont très confortablement installées, sous la surveillance de l'État. La capote fut rabattue, car la chaleur était insoutenable, et, à midi, le *tarentass*, enlevé par ses trois chevaux, quittait Perm au milieu d'un nuage de poussière.

Michel Strogoff était habitué à ce genre de véhicule et à ce mode de transport. Ni les soubresauts, ni les cahots ne pouvaient l'incommoder. Il savait qu'un attelage russe n'évite ni les cailloux, ni les ornières, ni les fondrières, ni les arbres renversés, ni les fossés qui ravinent la route. Il était fait à cela. Sa compagne risquait d'être blessée par les contrecoups du *tarentass*, mais elle ne se plaignit pas.

Pendant les premiers instants du voyage, Nadia, ainsi emportée à toute vitesse, demeura sans parler.

Puis, toujours obsédée de cette pensée unique, arriver, arriver:

— J'ai compté trois cents verstes entre Perm et Ekaterinbourg, frère! dit-elle. Me suis-je trompée?

— Tu ne t'es pas trompée, Nadia, répondit Michel Strogoff, et lorsque nous aurons atteint Ekaterinbourg, nous serons au pied même des monts Oural, sur leur versant opposé.

— Combien de fois as-tu traversé la steppe pendant l'hiver? demanda la jeune Livonienne.

— Trois fois, Nadia, lorsque j'allais à Omsk.

— Et qu'allais-tu faire à Omsk?

— Voir ma mère, qui m'attendait!

— Et moi, je vais à Irkoutsk, où m'attend mon père! Je vais lui porter les dernières paroles de ma mère! C'est te dire, frère, que rien n'aurait pu m'empêcher de partir!

— Tu es une brave enfant, Nadia, répondit Michel Strogoff, et Dieu lui-même t'aurait conduite!

Pendant cette journée, le *tarentass* fut mené rapidement par les *iemschiks* qui se succédèrent à chaque relais. Les aigles de la montagne n'eussent pas trouvé leur nom déshonoré par ces «aigles» de la grande route. Le haut prix payé par chaque cheval, les pourboires largement octroyés, recommandaient les voyageurs d'une façon toute spéciale. Peut-être les maîtres de poste trouvèrent-ils singulier, après la publication de l'arrêté, qu'un jeune homme et sa sœur, évidemment russes tous les deux, pussent courir librement à travers la Sibérie, fermée à tous autres, mais leurs papiers étaient en règle, et ils avaient le droit de passer. Aussi les poteaux kilométriques restaient-ils rapidement en arrière du *tarentass*.

Du reste, Michel Strogoff et Nadia n'étaient pas seuls à suivre la route de Perm à Ekaterinbourg. Dès les premiers relais, le courrier du czar avait appris qu'une voiture le précédait ; mais, comme les chevaux ne lui manquaient pas, il ne s'en préoccupa pas autrement.

En arrivant le soir, Michel Strogoff, poussé par une sorte d'instinct, demanda au maître de poste depuis combien d'heures la voiture qui le précédait avait passé au relais.

— Depuis deux heures, petit père, lui répondit le maître de poste.

— C'est une berline ?

— Non, une télègue.

— Combien de voyageurs ?

— Deux.

— Et ils vont grand train ?

— Des aigles !

— Qu'on attelle rapidement.

Michel Strogoff et Nadia, décidés à ne pas s'arrêter une heure, voyagèrent toute la nuit. Le temps continuait à être beau, mais on sentait que l'atmosphère, devenue pesante, se saturait peu à peu d'électricité. Aucun nuage n'interceptait les rayons stellaires, et il semblait qu'une sorte de buée chaude s'élevât du sol.

Il était à craindre que quelque orage ne se déchaînât dans les montagnes, et ils y sont terribles.

Le lendemain, 20 juillet, vers huit heures du matin, les premiers profils des monts Oural se dessinèrent dans l'est. Cependant, cette importante chaîne, qui sépare la Russie d'Europe de la Sibérie, se trouvait encore à une assez grande distance, et on ne pouvait compter l'atteindre avant la fin de la journée. Le passage des montagnes devrait donc nécessairement s'effectuer pendant la nuit prochaine.

Durant cette journée, le ciel resta constamment couvert, et, par conséquent, la température fut un peu plus supportable, mais le temps était extrêmement orageux.

Peut-être, avec cette apparence, eût-il été plus prudent de ne pas s'engager dans la montagne en pleine nuit, et c'est ce qu'eût fait Michel Strogoff, s'il lui eût été permis d'attendre ; mais quand, au dernier relais, l'*iemschik* lui signala quelques coups de tonnerre qui roulaient dans les profondeurs du massif, il se contenta de lui dire :

– Une télègue nous précède toujours ?

– Oui.

– Quelle avance a-t-elle maintenant sur nous ?

– Une heure environ.

– En avant, et triple pourboire, si nous sommes demain matin à Ekaterinbourg !

CHAPITRE X

Un orage dans les monts Oural

Les monts Oural se développent sur une étendue de près de trois mille verstes (3200 kilomètres) entre l'Europe et l'Asie. Qu'on les appelle de ce nom d'Oural, qui est d'origine tartare, ou de celui de Poyas, suivant la dénomination russe, ils sont justement nommés, puisque ces deux noms signifient « ceinture » dans les deux langues. Nés sur le littoral de la mer Arctique, ils vont mourir sur les bords de la Caspienne.

Telle était la frontière que Michel Strogoff devait franchir pour passer de Russie en Sibérie.

La nuit devait suffire à cette traversée des montagnes, si aucun accident ne survenait. Malheureusement, les premiers grondements du tonnerre annonçaient un orage que l'état particulier de l'atmosphère devait rendre redoutable. La tension électrique était telle, qu'elle ne pouvait se résoudre que par un éclat violent.

Nadia reprit sa place au fond de la caisse, et Michel Strogoff s'assit près d'elle. Devant la capote, complètement abaissée, pendaient deux rideaux de cuir, qui, dans une certaine mesure, devaient abriter les voyageurs contre la pluie et les rafales.

– Nadia, nous sommes prêts, dit Michel Strogoff.

– Partons, répondit la jeune fille.

L'ordre fut donné à l'*iemschik*, et le *tarentass*

s'ébranla en remontant les premières rampes des monts Oural.

— À quelle heure arriverons-nous au sommet du col? demanda Michel Strogoff à l'*iemschik*.

— À une heure du matin… si nous y arrivons! répondit celui-ci en secouant la tête.

— Dis donc, l'ami, tu n'en es pas à ton premier orage dans la montagne, n'est-ce pas?

— Non, et fasse Dieu que celui-ci ne soit pas mon dernier!

En ce moment, un frémissement lointain se fit entendre. C'était comme un millier de sifflements aigus et assourdissants, qui traversaient l'atmosphère, calme jusqu'alors. À la lueur d'un éblouissant éclair qui fut presque aussitôt suivi d'un éclat de tonnerre terrible, Michel Strogoff aperçut de grands pins qui se tordaient sur une cime. Le vent se déchaînait, mais il ne troublait encore que les hautes couches de l'air. Quelques bruits secs indiquèrent que certains arbres, vieux ou mal enracinés, n'avaient pu résister à la première attaque de la bourrasque. Une avalanche de troncs brisés traversa la route, après avoir formidablement rebondi sur les rocs, et alla se perdre dans l'abîme de gauche, à deux cents pas en avant du *tarentass*.

Les chevaux s'étaient arrêtés court.

— Va donc, mes jolies colombes! cria l'*iemschik* en mêlant les claquements de son fouet aux roulements du tonnerre.

Michel Strogoff saisit la main de Nadia.

— Dors-tu, sœur ? lui demanda-t-il.

— Non, frère.

— Sois prête à tout. Voici l'orage !

— Je suis prête.

Michel Strogoff n'eut que le temps de fermer les rideaux de cuir du *tarentass*.

La bourrasque arrivait en foudre.

L'*iemschik*, sautant de son siège, se jeta à la tête de ses chevaux, afin de les maintenir, car un immense danger menaçait tout l'attelage.

En effet, le *tarentass*, immobile, se trouvait alors à un tournant de la route par lequel débouchait la bourrasque. Il fallait donc le tenir tête au vent, sans quoi, pris de côté, il eût immanquablement chaviré et eût été précipité dans un profond abîme que le chemin côtoyait sur la gauche. Les chevaux, repoussés par les rafales, se cabraient, et leur conducteur ne pouvait parvenir à les calmer. Aux interpellations amicales avaient succédé dans sa bouche les qualifications les plus insultantes. Rien n'y faisait. Les malheureuses bêtes, aveuglées par les décharges électriques, épouvantées par les éclats incessants de la foudre, qui étaient comparables à des détonations d'artillerie, menaçaient de briser leurs traits et de s'enfuir. L'*iemschik* n'était plus maître de son attelage.

À ce moment, Michel Strogoff, s'élançant d'un bond hors du *tarentass*, lui vint en aide. Doué d'une force peu commune, il parvint, non sans peine, à maîtriser les chevaux.

Mais la furie de l'ouragan redoublait alors. La route, en cet endroit, s'évasait en forme d'entonnoir et laissait la bourrasque s'y engouffrer, comme elle eût fait dans ces manches d'aération tendues au vent à bord des steamers. En même temps, une avalanche de pierres et de troncs d'arbres commençait à rouler du haut des talus.

— Nous ne pouvons rester ici, dit Michel Strogoff.

— Nous n'y resterons pas non plus! s'écria l'*iemschik*, tout effaré, en se raidissant de toutes ses forces contre cet effroyable déplacement des couches d'air. L'ouragan aura bientôt fait de nous envoyer au bas de la montagne, et par le plus court!

— Prends le cheval de droite, poltron! répondit Michel Strogoff. Moi, je réponds de celui de gauche!

Un nouvel assaut de la rafale interrompit Michel Strogoff. Le conducteur et lui durent se courber jusqu'à terre pour ne pas être renversés; mais la voiture, malgré leurs efforts et ceux des chevaux qu'ils maintenaient debout au vent, recula de plusieurs longueurs, et, sans un tronc d'arbre qui l'arrêta, elle était précipitée hors de la route.

— N'aie pas peur, Nadia! cria Michel Strogoff.

— Je n'ai pas peur, répondit la jeune Livonienne, sans que sa voix trahît la moindre émotion.

Les roulements de tonnerre avaient cessé un instant, et l'effroyable bourrasque, après avoir franchi le tournant, se perdait dans les profondeurs du défilé.

— Veux-tu redescendre? dit l'*iemschik*.

— Non, il faut remonter ! Il faut passer ce tournant !
Plus haut, nous aurons l'abri du talus !

— Mais les chevaux refusent !

— Fais comme moi, et tire-les en avant !

Michel Strogoff et l'*iemschik* mirent plus de deux
heures à remonter cette portion du chemin, longue
d'une demi-verste au plus, et qui était si directement
exposée au fouet de la bourrasque. Le danger alors
n'était pas seulement dans ce formidable ouragan qui
luttait contre l'attelage et ses deux conducteurs, mais
surtout dans cette grêle de pierres et de troncs brisés
que la montagne secouait et projetait sur eux.

Soudain, un de ces blocs fut aperçu, dans l'épanouissement d'un éclair, se mouvant avec une rapidité
croissante et roulant dans la direction du *tarentass*.

L'*iemschik* poussa un cri.

Michel Strogoff, d'un vigoureux coup de fouet,
voulut faire avancer l'attelage, qui refusa.

Quelques pas seulement, et le bloc eût passé en
arrière !…

Michel Strogoff, en un vingtième de seconde, vit à
la fois le *tarentass* atteint, sa compagne écrasée ! Il comprit qu'il n'avait plus le temps de l'arracher vivante du
véhicule !…

Mais alors, se jetant à l'arrière, trouvant dans cet
immense péril une force surhumaine, le dos à l'essieu,
les pieds arc-boutés au sol, il repoussa de quelques
pieds la lourde voiture.

L'énorme bloc, en passant, frôla la poitrine du

jeune homme et lui coupa la respiration, comme eût fait un boulet de canon, en broyant les silex de la route, qui étincelèrent au choc.

— Frère! s'était écriée Nadia épouvantée, qui avait vu toute cette scène à la lueur de l'éclair.

— Nadia! répondit Michel Strogoff, Nadia, ne crains rien!...

La poussée du *tarentass*, due à l'effort de Michel Strogoff, ne devait pas être perdue. Ce fut l'élan donné qui permit aux chevaux affolés de reprendre leur première direction. Traînés, pour ainsi dire, par Michel Strogoff et l'*iemschik*, ils remontèrent la route jusqu'à un col étroit, orienté sud et nord, où ils devaient être abrités contre les assauts directs de la tourmente. Le talus de droite faisait là une sorte de redan, dû à la saillie d'un énorme rocher qui occupait le centre d'un remous. Le vent n'y tourbillonnait donc pas, et la place y était tenable, tandis qu'à la circonférence de ce cyclone ni hommes ni chevaux n'eussent pu résister.

En ce moment — il était une heure du matin — la pluie commença à tomber, et bientôt les rafales, faites d'eau et de vent, acquirent une violence extrême, sans pouvoir cependant éteindre les feux du ciel. Cette complication rendait tout départ impossible.

— Attendre, c'est grave, dit alors Michel Strogoff, mais c'est sans doute éviter de plus longs retards. La violence de l'orage me fait espérer qu'il ne durera pas. Vers trois heures, le jour commencera à reparaître, et la descente, que nous ne pouvons risquer dans l'obscurité, deviendra, sinon facile, du moins possible après le lever du soleil.

— Attendons, frère, répondit Nadia, mais si tu retardes ton départ, que ce ne soit pas pour m'épargner une fatigue ou un danger!

En ce moment, un violent éclair déchira le ciel, et sembla, pour ainsi dire, volatiliser la pluie. Aussitôt un coup sec retentit. L'air fut rempli d'une odeur sulfureuse, presque asphyxiante, et un bouquet de grands pins, frappé par le fluide électrique à vingt pas du *tarentass*, s'enflamma comme une torche gigantesque.

L'*iemschik*, jeté à terre par une sorte de choc en retour, se releva heureusement sans blessures.

Puis, après que les derniers roulements du tonnerre se furent perdus dans les profondeurs de la montagne, Michel Strogoff sentit la main de Nadia s'appuyer fortement sur la sienne, et il l'entendit murmurer ces mots à son oreille:

— Des cris, frère! Écoute!

CHAPITRE XI

Voyageurs en détresse

En effet, pendant cette courte accalmie, des cris se faisaient entendre vers la partie supérieure de la route, et à une distance assez rapprochée de l'anfractuosité qui abritait le *tarentass*.

C'était comme un appel désespéré, évidemment jeté par quelque voyageur en détresse.

Michel Strogoff, prêtant l'oreille, écoutait. L'*iem-schik* écoutait aussi, mais en secouant la tête, comme s'il lui eût semblé impossible de répondre à cet appel.

– Des voyageurs qui demandent du secours! s'écria Nadia.

Michel Strogoff serra la main de sa compagne, et, franchissant le tournant du talus, il disparut aussitôt dans l'ombre.

– Ton frère a tort, dit l'*iemschik* à la jeune fille.

– Il a raison, répondit simplement Nadia.

Cependant, Michel Strogoff remontait rapidement la route. S'il avait grande hâte de porter secours à ceux qui jetaient ces cris de détresse, il avait grand désir aussi de savoir quels pouvaient être ces voyageurs que l'orage n'avait pas empêchés de s'aventurer dans la montagne, car il ne doutait pas que ce ne fussent ceux dont la télègue précédait toujours son *tarentass*.

Mais il fut bientôt évident que les voyageurs, dont les cris se faisaient entendre, ne devaient plus être éloignés. Bien que Michel Strogoff ne pût encore les voir, soit qu'ils eussent été rejetés hors de la route, soit que l'obscurité les dérobât à ses regards, leurs paroles, cependant, arrivaient assez distinctement à son oreille.

Or, voici ce qu'il entendit – ce qui ne laissa pas de lui causer une certaine surprise:

– Butor! reviendras-tu?

– Je te ferai knouter au prochain relais!

– Entends-tu, postillon du diable ! Eh ! là-bas !

– Voilà comme ils vous conduisent dans ce pays !…

– Et ce qu'ils appellent une télègue !

– Eh ! triple brute ! Il détale toujours et ne paraît pas s'apercevoir qu'il nous laisse en route !

– Me traiter ainsi, moi ! un Anglais accrédité ! Je me plaindrai à la chancellerie, et je le ferai pendre !

Celui qui parlait ainsi était véritablement dans une grosse colère. Mais, tout à coup, il sembla à Michel Strogoff que le second interlocuteur prenait son parti de ce qui se passait, car l'éclat de rire le plus inattendu, au milieu d'une telle scène, retentit soudain et fut suivi de ces paroles :

– Eh bien ! non ! décidément, c'est trop drôle !

– Vous osez rire ! répondit d'un ton passablement aigre le citoyen du Royaume-Uni.

– Certes oui, cher confrère, et de bon cœur, et c'est ce que j'ai de mieux à faire ! Je vous engage à en faire autant ! Parole d'honneur, c'est trop drôle, ça ne s'est jamais vu !…

Sur la route, largement éclairée alors par les éclairs, Michel Strogoff aperçut, à vingt pas, deux voyageurs, juchés l'un près de l'autre sur le banc de derrière d'un singulier véhicule, qui paraissait être profondément embourbé dans quelque ornière.

Michel Strogoff s'approcha des deux voyageurs, dont l'un continuait de rire et l'autre de maugréer, et il reconnut les deux correspondants de journaux, qui, embarqués sur le *Caucase*, avaient fait en sa compagnie la route de Nijni-Novgorod à Perm.

— Eh! bonjour, monsieur! s'écria le Français. Enchanté de vous voir dans cette circonstance! Permettez-moi de vous présenter mon ennemi intime, M. Blount.

Le reporter anglais salua, et peut-être allait-il, à son tour, présenter son confrère Alcide Jolivet, conformément aux règles de la politesse, quand Michel Strogoff lui dit :

— Inutile, messieurs, nous nous connaissons, puisque nous avons déjà voyagé ensemble sur le Volga.

— Ah! très bien! Parfait! monsieur…?

— Nicolas Korpanoff, négociant d'Irkoutsk, répondit Michel Strogoff. Mais m'apprendrez-vous quelle aventure, si lamentable pour l'un, si plaisante pour l'autre, vous est arrivée?

— Je vous fais juge, monsieur Korpanoff, répondit Alcide Jolivet. Imaginez-vous que notre postillon est parti avec l'avant-train de son infernal véhicule, nous laissant en panne sur l'arrière-train de son absurde équipage! La pire moitié d'une télègue pour deux, plus de guide, plus de chevaux! N'est-ce pas absolument et superlativement drôle?

Alcide Jolivet disait toutes ces choses avec une telle bonne humeur, que Michel Strogoff ne put s'empêcher de sourire.

— Messieurs, dit-il alors, nous sommes arrivés, ici, au col supérieur de la chaîne de l'Oural, et, par conséquent, nous n'avons plus maintenant qu'à descendre les pentes de la montagne. Ma voiture est là, à cinq cents pas en arrière. Je vous prêterai un de mes chevaux, on l'attellera à la caisse de votre télègue, et demain, si aucun accident ne se produit, nous arriverons ensemble à Ekaterinbourg.

— Monsieur Korpanoff, répondit Alcide Jolivet, voici une proposition qui part d'un cœur généreux!

— J'ajoute, monsieur, répondit Michel Strogoff, que si je ne vous offre pas de monter dans mon *tarentass*, c'est qu'il ne contient que deux places, et que ma sœur et moi, nous les occupons déjà.

— Comment donc, monsieur, répondit Alcide Jolivet, mais mon confrère et moi, avec votre cheval et l'arrière-train de notre demi-télègue, nous irions au bout du monde!

— Venez donc, messieurs, dit Michel Strogoff, et nous ramènerons ici le *tarentass*.

Le Français et l'Anglais, descendant de la banquette de fond, devenue ainsi siège de devant, suivirent Michel Strogoff.

— Vous vous dirigez sur Omsk? demanda Michel Strogoff, après avoir réfléchi un instant.

— Nous n'en savons rien encore, répondit Alcide Jolivet, mais très certainement nous irons directement jusqu'à Ichim, et, une fois là, nous agirons selon les événements.

— Eh bien, messieurs, dit Michel Strogoff, nous irons de conserve jusqu'à Ichim.

Puis, du ton le plus indifférent:

— Savez-vous avec quelque certitude où en est l'invasion tartare? demanda-t-il.

— Ma foi, monsieur, nous n'en savons que ce qu'on en disait à Perm, répondit Alcide Jolivet. Les Tartares de Féofar-Khan ont envahi toute la province de Semipalatinsk, et, depuis quelques jours, ils descendent à marche forcée le cours de l'Irtych. Il faut donc vous hâter si vous voulez les devancer à Omsk.

— En effet, répondit Michel Strogoff.

— On ajoutait aussi que le colonel Ogareff avait réussi à passer la frontière sous un déguisement, et qu'il ne pouvait tarder à rejoindre le chef tartare au centre même du pays soulevé.

— Mais comment l'aurait-on su? demanda Michel Strogoff, que ces nouvelles, plus ou moins véridiques, intéressaient directement.

— Eh! comme on sait toutes ces choses, répondit Alcide Jolivet. C'est dans l'air.

— Et vous avez des raisons sérieuses de penser que le colonel Ogareff est en Sibérie?

— J'ai même entendu dire qu'il avait dû prendre la route de Kazan à Ekaterinbourg.

— Ah! vous saviez cela, monsieur Jolivet? dit alors Harry Blount, que l'observation du correspondant français tira de son mutisme.

— Je le savais, répondit Alcide Jolivet.

— Et saviez-vous qu'il devait être déguisé en bohémien? demanda Harry Blount.

— En bohémien! s'écria presque involontairement Michel Strogoff, qui se rappela la présence du vieux tsigane à Nijni-Novgorod, son voyage à bord du *Caucase* et son débarquement à Kazan.

— Je le savais assez pour en faire l'objet d'une lettre à ma cousine, répondit en souriant Alcide Jolivet.

Michel Strogoff n'écoutait plus les reparties que Harry Blount et Alcide Jolivet échangeaient entre eux. Il songeait à ce vieux tsigane dont il n'avait pu voir le visage, à la femme étrange qui l'accompagnait, au singulier regard qu'elle avait jeté sur lui, lorsqu'une détonation se fit entendre à une courte distance.

— Ah! messieurs, en avant! s'écria Michel Strogoff.

«Tiens! pour un digne négociant qui fuit les coups de feu, se dit Alcide Jolivet, il court bien vite à l'endroit où ils éclatent!» Et, suivi de Harry Blount, qui n'était pas homme à rester en arrière, il se précipita sur les pas de Michel Strogoff.

Quelques instants après, tous trois étaient en face du saillant qui abritait le *tarentass* au tournant du chemin. Le bouquet de pins allumé par la foudre brûlait encore. La route était déserte. Cependant, Michel Strogoff n'avait pu se tromper. Le bruit d'une arme à feu était bien arrivé jusqu'à lui. Soudain, un formidable grognement se fit entendre, et une seconde détonation éclata au-delà du talus.

— Un ours! s'écria Michel Strogoff, qui ne pouvait se méprendre à ce grognement. Nadia! Nadia!

Et, tirant son coutelas de sa ceinture, Michel Strogoff s'élança par un bond formidable et tourna le contrefort derrière lequel la jeune fille avait promis de l'attendre.

Les pins, alors dévorés par les flammes du tronc à la cime, éclairaient largement la scène.

Au moment où Michel Strogoff atteignit le *tarentass*, une masse énorme recula jusqu'à lui.

C'était un ours de grande taille. La tempête l'avait chassé des bois qui hérissaient ce talus de l'Oural, et il était venu chercher refuge dans cette excavation, sa retraite habituelle, sans doute, que Nadia occupait alors.

Deux des chevaux, effrayés de la présence de l'énorme animal, brisant leurs traits, avaient pris la fuite, et l'*iemschik*, ne pensant qu'à ses bêtes, oubliant que la jeune fille allait rester seule en présence de l'ours, s'était jeté à leur poursuite.

La courageuse Nadia n'avait pas perdu la tête. L'animal, qui ne l'avait pas vue tout d'abord, s'était attaqué à l'autre cheval de l'attelage. Nadia, quittant alors l'anfractuosité dans laquelle elle s'était blottie, avait couru à la voiture, pris un des revolvers de Michel Strogoff, et, marchant hardiment sur l'ours, elle avait fait feu à bout portant.

L'animal, légèrement blessé à l'épaule, s'était retourné contre la jeune fille, qui avait cherché d'abord à l'éviter en tournant autour du *tarentass*, dont le cheval cherchait à briser ses liens. Mais ces chevaux, une fois perdus dans la montagne, c'était tout le voyage compromis. Nadia était donc revenue droit à l'ours, et, avec un sang-froid surprenant, au moment même où les pattes de l'animal allaient s'abattre sur sa tête, elle avait fait feu sur lui une seconde fois.

C'était cette seconde détonation qui venait d'éclater à quelques pas de Michel Strogoff. Mais il était là. D'un bond il se jeta entre l'ours et la jeune fille. Son bras ne fit qu'un seul mouvement de bas en haut, et l'énorme bête, fendue du ventre à la gorge, tomba sur le sol comme une masse inerte.

— Tu n'es pas blessée, sœur ? dit Michel Strogoff, en se précipitant vers la jeune fille.

— Non, frère, répondit Nadia.

En ce moment apparurent les deux journalistes. Alcide Jolivet se jeta à la tête du cheval, et il faut croire qu'il avait le poignet solide, car il parvint à le contenir. Son compagnon et lui avaient vu la rapide manœuvre de Michel Strogoff.

— Diable ! s'écria Alcide Jolivet, pour un simple négociant, monsieur Korpanoff, vous maniez joliment le couteau du chasseur !

— Très joliment même, ajouta Harry Blount.

— En Sibérie, messieurs, répondit Michel Strogoff, nous sommes forcés de faire un peu de tout !

En ce moment reparut l'*iemschik*, qui était parvenu à rattraper ses deux chevaux. Il jeta tout d'abord un œil de regret sur le magnifique animal, gisant sur le sol, qu'il allait être obligé d'abandonner aux oiseaux de proie, et il s'occupa de réinstaller son attelage.

Michel Strogoff lui fit alors connaître la situation des deux voyageurs et son projet de mettre un des chevaux du *tarentass* à leur disposition.

— Comme il te plaira, répondit l'*iemschik*. Seulement, deux voitures au lieu d'une...

— Bon! l'ami, répondit Alcide Jolivet, qui comprit l'insinuation, on te paiera double.

— Va donc, mes tourtereaux! cria l'*iemschik*.

Nadia était remontée dans le *tarentass*, que suivaient à pied Michel Strogoff et ses deux compagnons.

Il était trois heures. La bourrasque, alors dans sa période décroissante, ne se déchaînait plus aussi violemment à travers le défilé, et la route fut remontée rapidement.

Aux premières lueurs de l'aube, le *tarentass* avait rejoint la télègue, qui était consciencieusement embourbée jusqu'au moyeu de ses roues. On comprenait parfaitement qu'un vigoureux coup de collier de son attelage eût opéré la séparation des deux trains.

Un des chevaux de flanc du *tarentass* fut attelé à l'aide de cordes à la caisse de la télègue. Les deux journalistes reprirent place sur le banc de leur singulier équipage, et les voitures se mirent aussitôt en mouvement.

Six heures après, les deux véhicules, l'un suivant l'autre, arrivaient à Ekaterinbourg, sans qu'aucun incident fâcheux eût marqué la seconde partie de leur voyage.

CHAPITRE XII

Une provocation

Ni Michel Strogoff ni les deux correspondants ne pouvaient être embarrassés de trouver des moyens de locomotion dans une ville aussi considérable, fondée depuis 1723.

Harry Blount et Alcide Jolivet trouvèrent facilement à remplacer par une télègue complète la fameuse demi-télègue qui les avait transportés tant bien que mal à Ekaterinbourg. Quant à Michel Strogoff, le *tarentass* lui appartenait, il n'avait pas trop souffert du voyage à travers les monts Oural, et il suffisait d'y atteler trois bons chevaux pour l'entraîner rapidement sur la route d'Irkoutsk.

C'était à Ichim, on le sait, que les deux correspondants avaient l'intention de se rendre, c'est-à-dire à six cent trente verstes d'Ekaterinbourg. Là, ils devaient prendre conseil des événements, puis se diriger à travers les régions envahies, soit ensemble, soit séparément, suivant que leur instinct de chasseurs les jetterait sur une piste ou sur une autre.

Or cette route d'Ekaterinbourg à Ichim — qui se dirige vers Irkoutsk — était la seule que pût prendre Michel Strogoff.

— Messieurs, dit-il donc à ses nouveaux compagnons, je serai très satisfait de faire avec vous une partie de mon voyage, mais je dois vous prévenir que je suis extrêmement pressé d'arriver à Omsk, car ma sœur et moi nous y allons rejoindre notre mère. Je ne m'arrêterai donc aux relais que le temps de changer de chevaux, et je voyagerai jour et nuit!

— Nous comptons bien en agir ainsi, répondit Harry Blount.

— Soit, reprit Michel Strogoff, mais ne perdez pas un instant. Louez ou achetez une voiture dont…

— Dont l'arrière-train, ajouta Alcide Jolivet, veuille bien arriver en même temps que l'avant-train à Ichim.

Une demi-heure après, le diligent Français avait trouvé, facilement d'ailleurs, un *tarentass*, à peu près semblable à celui de Michel Strogoff, et dans lequel son compagnon et lui s'installèrent aussitôt.

Michel Strogoff et Nadia reprirent place dans leur véhicule, et, à midi, les deux attelages quittèrent de conserve la ville d'Ekaterinbourg.

Ainsi donc, jusqu'ici, le voyage de Michel Strogoff s'accomplissait dans des conditions satisfaisantes. Le courrier du czar n'avait éprouvé aucun retard, et, s'il parvenait à tourner la pointe faite en avant de Krasnoïarsk par les Tartares de Féofar-Khan, il était certain d'arriver avant eux à Irkoutsk et dans le minimum de temps obtenu jusqu'alors.

Le lendemain du jour où les deux *tarentass* avaient quitté Ekaterinbourg, ils atteignaient la petite ville de Toulouguisk, à sept heures du matin, après avoir franchi une distance de deux cent vingt verstes, sans incident digne d'être relaté.

Là, une demi-heure fut consacrée au déjeuner. Cela fait, les voyageurs repartirent avec une vitesse que la promesse d'un certain nombre de kopecks rendait seule explicable.

Le même jour, 22 juillet, à une heure du soir, les deux *tarentass* arrivaient, soixante verstes plus loin, à Tioumen.

Tioumen, dont la population normale est de dix mille habitants, en comptait alors le double. Cette ville n'avait jamais présenté une telle animation. Les deux correspondants allèrent aussitôt aux nouvelles. Celles que les fugitifs sibériens apportaient du théâtre de la guerre n'étaient pas rassurantes.

On disait, entre autres choses, que l'armée de Féofar-Khan s'approchait rapidement de la vallée de l'Ichim, et l'on confirmait que le chef tartare allait être bientôt rejoint par le colonel Ivan Ogareff, s'il ne l'était déjà. D'où cette conclusion naturelle que les opérations seraient alors poussées dans l'est de la Sibérie avec la plus grande activité.

Quant aux troupes russes, il avait fallu les appeler principalement des provinces européennes de la Russie, et, étant encore assez éloignées, elles ne pouvaient s'opposer à l'invasion. Cependant, les Cosaques du gouvernement de Tobolsk se dirigeaient à marche forcée sur Tomsk, dans l'espoir de couper les colonnes tartares.

À huit heures du soir, soixante-quinze verstes de plus avaient été dévorées pas les deux *tarentass*, et ils arrivaient à Yaloutorowsk.

On relaya rapidement, et, au sortir de la ville, la rivière Tobol fut passée dans un bac. Son cours, très paisible, rendit facile cette opération, qui devait se renouveler plus d'une fois sur le parcours, et probablement dans des conditions moins favorables.

À minuit, cinquante-cinq verstes au-delà (58 kilomètres et demi), le bourg de Novo-Saimsk était atteint, et les voyageurs laissaient enfin derrière eux ce sol légèrement accidenté par des coteaux couverts d'arbres, dernières racines des montagnes de l'Oural.

Ici commençait véritablement ce qu'on appelle la steppe sibérienne, qui se prolonge jusqu'aux environs de Krasnoïarsk. C'était la plaine sans limites, une sorte de vaste désert herbeux, à la circonférence duquel venaient se confondre la terre et le ciel sur une courbe qu'on eût dit nettement tracée au compas. Cette steppe ne présentait aux regards d'autre saillie que le profil des poteaux télégraphiques disposés sur chaque côté de la route, et dont les fils vibraient sous la brise comme des cordes de harpe. La route elle-même ne se distinguait du reste de la plaine que par la fine poussière qui s'enlevait sous la roue des *tarentass*. Sans ce ruban blanchâtre, qui se déroulait à perte de vue, on eût pu se croire au désert.

Michel Strogoff et ses compagnons se lancèrent avec une vitesse plus grande encore à travers la steppe. Les chevaux, excités par l'*iemschik* et qu'aucun obstacle ne pouvait retarder, dévoraient l'espace. Les *taren-*

tass couraient directement sur Ichim, là où les deux correspondants devaient s'arrêter, si aucun événement ne venait modifier leur itinéraire.

Le lendemain, 23 juillet, en effet, les deux *tarentass* n'étaient plus qu'à trente verstes d'Ichim.

En ce moment, Michel Strogoff aperçut sur la route, et à peine visible au milieu des volutes de poussière, une voiture qui précédait la sienne. Comme ses chevaux, moins fatigués, couraient avec une rapidité plus grande, il ne devait pas tarder à l'atteindre.

Michel Strogoff et ses compagnons, en voyant cette berline qui courait sur Ichim, n'eurent qu'une même pensée, la devancer et arriver avant elle au relais, afin de s'assurer avant tout des chevaux disponibles. Ils dirent donc un mot à leurs *iemschiks*, qui se trouvèrent bientôt en ligne avec l'attelage surmené de la berline.

Ce fut Michel Strogoff qui arriva le premier.

À ce moment, une tête parut à la portière de la berline.

Michel Strogoff eut à peine le temps de l'observer. Cependant, si vite qu'il passât, il entendit très directement ce mot, prononcé d'une voix impérieuse, qui lui fut adressé :

— Arrêtez !

On ne s'arrêta pas. Au contraire, et la berline fut bientôt devancée par les deux *tarentass*.

Une demi-heure après, la berline, restée en arrière, n'était plus qu'un point à peine visible à l'horizon de la steppe.

Il était huit heures du soir, lorsque les deux *tarentass* arrivèrent au relais de poste, à l'entrée d'Ichim.

Les nouvelles de l'invasion étaient de plus en plus mauvaises. La ville était directement menacée par l'avant-garde des colonnes tartares, et, depuis deux jours, les autorités avaient dû se replier sur Tobolsk. Ichim n'avait plus ni un fonctionnaire ni un soldat.

Michel Strogoff, arrivé au relais, demanda immédiatement des chevaux pour lui.

Il avait été bien avisé de devancer la berline. Trois chevaux seulement étaient en état d'être immédiatement attelés. Les autres rentraient fatigués de quelque longue étape.

Le maître de poste donna l'ordre d'atteler.

Quant aux deux correspondants, auxquels il parut bon de s'arrêter à Ichim, ils n'avaient pas à se préoccuper d'un moyen de transport immédiat, et ils firent remiser leur voiture.

Dix minutes après son arrivée au relais, Michel Strogoff fut prévenu que son *tarentass* était prêt à partir.

— Bien, répondit-il.

Puis, allant aux deux journalistes :

— Maintenant, messieurs, puisque vous restez à Ichim, le moment est venu de nous séparer.

— Quoi, monsieur Korpanoff, dit Alcide Jolivet, ne resterez-vous pas même une heure à Ichim ?

— Non, monsieur, et je désire même avoir quitté la maison de poste avant l'arrivée de cette berline que nous avons devancée.

— Craignez-vous donc que ce voyageur ne cherche à vous disputer les chevaux du relais?

— Je tiens surtout à éviter toute difficulté.

Les deux correspondants tendaient la main à Michel Strogoff avec l'intention de la lui serrer le plus cordialement possible, lorsque le bruit d'une voiture se fit entendre au-dehors.

Presque aussitôt, la porte de la maison de poste s'ouvrit brusquement, et un homme parut.

C'était le voyageur de la berline, un individu à tournure militaire, âgé d'une quarantaine d'années, grand, robuste, tête forte, épaules larges, épaisses moustaches se raccordant avec ses favoris roux. Il portait un uniforme sans insignes. Un sabre de cavalerie traînait à sa ceinture, et il tenait à la main un fouet à manche court.

— Des chevaux, demanda-t-il avec l'air impérieux d'un homme habitué à commander.

— Je n'ai plus de chevaux disponibles, répondit le maître de poste, en s'inclinant.

— Quels sont donc ces chevaux qui viennent d'être attelés au *tarentass* que j'ai vu à la porte du relais?

— Ils appartiennent à ce voyageur, répondit le maître de poste en montrant Michel Strogoff.

— Qu'on les détèle!... dit le voyageur d'un ton qui n'admettait pas de réplique.

Michel Strogoff s'avança alors.

— Ces chevaux sont retenus par moi, dit-il.

— Peu m'importe! Il me les faut. Allons! Vivement! Je n'ai pas de temps à perdre!

— Je n'ai pas de temps à perdre non plus, répondit Michel Strogoff, qui voulait être calme et se contenait non sans peine.

Nadia était près de lui, calme aussi, mais secrètement inquiète d'une scène qu'il eût mieux valu éviter.

— Assez! répéta le voyageur.

— Mes chevaux resteront à ma voiture, dit Michel Strogoff, mais sans élever le ton plus qu'il ne convenait à un simple marchand d'Irkoutsk.

Le voyageur s'avança alors vers Michel Strogoff, et lui posant rudement la main sur l'épaule:

— C'est comme cela! dit-il d'une voix éclatante. Tu ne veux pas me céder tes chevaux?

— Non, répondit Michel Strogoff.

— Eh bien, ils seront à celui de nous deux qui va pouvoir repartir! Défends-toi, car je ne te ménagerai pas!

Et, en parlant ainsi, le voyageur tira vivement son sabre du fourreau et se mit en garde.

Nadia s'était jetée devant Michel Strogoff. Harry Blount et Alcide Jolivet s'avancèrent vers lui.

— Je ne me battrai pas, dit simplement Michel Strogoff, qui, pour mieux se contenir, croisa ses bras sur sa poitrine.

— Tu ne te battras pas?

— Non.

— Même après ceci? s'écria le voyageur.

Et, avant qu'on eût pu le retenir, le manche de son fouet frappa l'épaule de Michel Strogoff.

À cette insulte, Michel Strogoff pâlit affreusement. Ses mains se levèrent toutes ouvertes, comme si elles allaient broyer ce brutal personnage. Mais, par un suprême effort, il parvint à se maîtriser. Un duel, c'était plus qu'un retard, c'était peut-être sa mission manquée!... Mieux valait perdre quelques heures!... Oui! mais dévorer cet affront!

— Te battras-tu, maintenant, lâche? répéta le voyageur, en ajoutant la grossièreté à la brutalité.

— Non! répondit Michel Strogoff, qui ne bougea pas, mais qui regarda le voyageur les yeux dans les yeux.

— Les chevaux, et à l'instant! dit alors celui-ci.

Et il sortit de la salle.

Le maître de poste le suivit aussitôt, non sans avoir haussé les épaules, après avoir examiné Michel Strogoff d'un air peu approbateur.

L'effet produit sur les journalistes par cet incident ne pouvait pas être à l'avantage de Michel Strogoff. Leur déconvenue était visible. Ce robuste jeune homme, se laisser frapper ainsi et ne pas demander raison d'une pareille insulte! Ils se contentèrent donc de le saluer et se retirèrent, Alcide Jolivet disant à Harry Blount:

— Je n'aurais pas cru cela d'un homme qui découd si proprement les ours de l'Oural! Serait-il donc vrai que le courage a ses heures et ses formes? C'est à n'y rien comprendre! Après cela, il nous manque peut-être, à nous autres, d'avoir jamais été serfs!

Un instant après, un bruit de roues et le claquement d'un fouet indiquaient que la berline, attelée des chevaux du *tarentass*, quittait rapidement la maison de poste.

Nadia, impassible, Michel Strogoff, encore frémissant, restèrent seuls dans la salle du relais.

Le courrier du czar, les bras toujours croisés sur sa poitrine, s'était assis. On eût dit une statue. Toutefois, une rougeur, qui ne devait pas être la rougeur de la honte, avait remplacé la pâleur sur son mâle visage.

Nadia ne doutait pas que de formidables raisons eussent pu seules faire dévorer à un tel homme une telle humiliation.

Donc, allant à lui, comme il était venu à elle à la maison de police de Nijni-Novgorod:

— Ta main, frère! dit-elle.

Et, en même temps, son doigt, par un geste quasi maternel, essuya une larme qui allait jaillir de l'œil de son compagnon.

CHAPITRE XIII

Au-dessus de tout, le devoir

Le lendemain, 24 juillet, à huit heures du matin, le *tarentass* était attelé de trois vigoureux chevaux. Michel Strogoff et Nadia y prirent place, et Ichim, dont tous les deux devaient garder un si terrible souvenir, eut bientôt disparu derrière un coude de la route.

Aux divers relais où il s'arrêta pendant cette journée, Michel Strogoff put constater que la berline le précédait toujours sur la route d'Irkoutsk, et que le voyageur, aussi pressé que lui, ne perdait pas un instant en traversant la steppe.

À quatre heures du soir, soixante-quinze verstes plus loin, à la station d'Abatskaïa, la rivière d'Ichim, l'un des principaux affluents de l'Irtych, dut être franchie.

Dès que le bac eut déposé le *tarentass* et son attelage sur la rive droite de l'Ichim, la route de la steppe fut reprise à toute vitesse.

Il était sept heures du soir. Le temps était très couvert. Aussi, à plusieurs reprises, tomba-t-il une pluie d'orage, qui eut pour résultat d'abattre la poussière et de rendre les chemins meilleurs.

Michel Strogoff, depuis le relais d'Ichim, était demeuré taciturne. Cependant il était toujours attentif à préserver Nadia des fatigues de cette course sans trêve ni repos, mais la jeune fille ne se plaignait pas.

Elle eût voulu donner des ailes aux chevaux du *tarentass*. Quelque chose lui criait que son compagnon avait plus de hâte encore qu'elle-même d'arriver à Irkoutsk, et combien de verstes les en séparaient encore!

Il lui vint aussi à la pensée que si Omsk était envahie par les Tartares, la mère de Michel Strogoff, qui habitait cette ville, courrait des dangers dont son fils devait extrêmement s'inquiéter, et que cela suffisait à expliquer son impatience d'arriver près d'elle.

— Tu n'as reçu aucune nouvelle de ta mère depuis le début de l'invasion? lui demanda-t-elle.

— Aucune, Nadia. La dernière lettre que ma mère m'a écrite date déjà de deux mois, mais elle m'apportait de bonnes nouvelles. Marfa est une femme énergique, une vaillante Sibérienne. Malgré son âge, elle a conservé toute sa force morale. Elle sait souffrir.

— Et quand la verras-tu?

— Je la verrai… au retour.

— Cependant, si ta mère est à Omsk, tu prendras bien une heure pour aller l'embrasser?

— Je n'irai pas l'embrasser!

— Ah! frère, pour quelles raisons, si ta mère est à Omsk, peux-tu refuser de la voir?

— Tu me demandes pour quelles raisons! s'écria Michel Strogoff d'une voix si profondément altérée que la jeune fille en tressaillit. Mais pour les raisons qui m'ont fait patient jusqu'à la lâcheté avec le misérable dont…

Il ne put achever sa phrase.

Nadia se tut, et, de ce moment, elle évita tout sujet de conversation qui pût se rapporter à la situation particulière de Michel Strogoff. Il y avait là quelque secret à respecter. Elle le respecta.

Le lendemain, 25 juillet, à trois heures du matin, le *tarentass* arrivait au relais de poste de Tioukalinsk, après avoir franchi une distance de cent vingt verstes depuis le passage de l'Ichim.

On relaya rapidement. Cependant, et pour la première fois, l'*iemschik* fit quelques difficultés pour partir, affirmant que des détachements tartares battaient la steppe, et que voyageurs, chevaux et voitures seraient de bonnes prises pour ces pillards.

Enfin, le *tarentass* partit, et fit si bien diligence qu'à trois heures du soir, quatre-vingts verstes plus loin, il atteignait Koulatsinskoï. Puis, une heure après, il se trouvait sur les bords de l'Irtych. Omsk n'était plus qu'à une vingtaine de verstes.

L'embarquement se fit non sans peine, car les berges étaient en partie inondées, et le bac ne pouvait pas les accoster d'assez près. Toutefois, après une demi-heure d'efforts, le batelier eut installé dans le bac le *tarentass* et les trois chevaux. Michel Strogoff, Nadia et l'*iemschik* s'y embarquèrent alors, et l'on déborda.

Michel Strogoff et Nadia, assis à l'arrière du bac, et toujours portés à craindre quelque retard, observaient avec une certaine inquiétude la manœuvre des bateliers.

Les deux bateliers, hommes vigoureux, stimulés en outre par la promesse d'un haut péage, ne doutaient pas d'ailleurs de mener à bien cette difficile traversée de l'Irtych. Mais ils comptaient sans un incident qu'ils étaient impuissants à prévenir, et ni leur zèle ni leur habileté n'auraient rien pu faire en cette circonstance.

Le bac se trouvait engagé dans le milieu du courant, à égale distance environ des deux rives, et il descendait avec une vitesse de deux verstes à l'heure, lorsque Michel Strogoff, se levant, regarda attentivement en amont du fleuve.

Il aperçut alors plusieurs barques que le courant emportait avec une grande rapidité, car à l'action de l'eau se joignait celle des avirons dont elles étaient armées.

La figure de Michel Strogoff se contracta tout à coup, et une exclamation lui échappa.

– Qu'y a-t-il ? demanda la jeune fille.

Mais avant que Michel Strogoff eût eu le temps de lui répondre, un des bateliers s'écriait avec l'accent de l'épouvante :

– Les Tartares ! Les Tartares !

C'étaient, en effet, des barques chargées de soldats qui descendaient rapidement l'Irtych, et, avant quelques minutes, elles devaient avoir atteint le bac, trop pesamment encombré pour fuir devant elles. Les bateliers, terrifiés par cette apparition, poussèrent des cris de désespoir et abandonnèrent leurs gaffes.

– Du courage, mes amis! s'écria Michel Strogoff, du courage! Cinquante roubles pour vous si nous atteignons la rive droite avant l'arrivée de ces barques!

Les bateliers, ranimés par ces paroles, reprirent la manœuvre et continuèrent à biaiser avec le courant, mais il fut bientôt évident qu'ils ne pourraient éviter l'abordage des Tartares. Ceux-ci passeraient-ils sans les inquiéter? c'était peu probable! On devait tout craindre, au contraire, de ces pillards!

– N'aie pas peur, Nadia, dit Michel Strogoff, mais sois prête à tout!

– Je suis prête, répondit Nadia.

– Même à te jeter dans le fleuve, quand je te le dirai?

– Quand tu me le diras.

– Aie confiance en moi, Nadia.

– J'ai confiance!

Les barques tartares n'étaient plus qu'à une distance de cent pieds. Elles portaient un détachement de soldats boukhariens, qui allaient tenter une reconnaissance sur Omsk.

Le bac se trouvait encore à deux longueurs de la rive. Les bateliers redoublèrent d'efforts. Michel Strogoff se joignit à eux et saisit une gaffe, qu'il manœuvra avec une force surhumaine. S'il pouvait débarquer le *tarentass* et l'enlever au galop de l'attelage, il avait quelques chances d'échapper à ces Tartares, qui n'étaient pas montés.

Mais tant d'efforts devaient être inutiles!

— *Saryn na kitchou!* crièrent les soldats de la première barque.

Michel Strogoff reconnut ce cri de guerre des pirates tartares, auquel on ne devait répondre qu'en se couchant à plat ventre.

Et comme ni les bateliers ni lui n'obéirent à cette injonction, une violente décharge eut lieu, et deux des chevaux furent atteints mortellement. En ce moment, un choc se produisit... Les barques avaient abordé le bac par le travers.

— Viens, Nadia! s'écria Michel Strogoff, prêt à se jeter par-dessus le bord.

La jeune fille allait le suivre, quand Michel Strogoff, frappé d'un coup de lance, fut précipité dans le fleuve. Le courant l'entraîna, sa main s'agita un instant au-dessus des eaux, et il disparut.

Nadia avait poussé un cri, mais, avant qu'elle eût le temps de se jeter à la suite de Michel Strogoff, elle était saisie, enlevée, et déposée dans une des barques.

Un instant après, les bateliers avaient été tués à coups de lance, et le bac dérivait à l'aventure, pendant que les Tartares continuaient à descendre le cours de l'Irtych.

CHAPITRE XIV

Mère et fils

Omsk est la capitale officielle de la Sibérie occidentale. Ce n'est pas la ville la plus importante du gouvernement de ce nom, puisque Tomsk est plus peuplée et plus considérable, mais c'est à Omsk que réside le gouverneur général de cette première moitié de la Russie asiatique.

C'est là que le gouverneur général, ses officiers, ses soldats s'étaient retranchés. Ils avaient fait du haut quartier d'Omsk une sorte de citadelle, après en avoir crénelé les maisons et les églises, et, jusqu'alors, ils tenaient bon dans cette sorte de *kreml* improvisé, sans grand espoir d'être secourus à temps. En effet, les troupes tartares, qui descendaient le cours de l'Irtych, recevaient chaque jour de nouveaux renforts, et, circonstance plus grave, elles étaient alors dirigées par un officier, traître à son pays, mais homme de grand mérite et d'une audace à toute épreuve.

C'était le colonel Ivan Ogareff.

Or, quand Michel Strogoff arriva sur les bords de l'Irtych, Ivan Ogareff était déjà maître d'Omsk, et il pressait d'autant plus le siège du haut quartier de la ville, qu'il avait hâte de rejoindre Tomsk, où le gros de l'armée tartare venait de se concentrer.

Tomsk, en effet, avait été prise par Féofar-Khan

depuis quelques jours, et c'est de là que les envahisseurs, maîtres de la Sibérie centrale, devaient marcher sur Irkoutsk.

Irkoutsk était le véritable objectif d'Ivan Ogareff.

Le plan de ce traître était de se faire agréer du grand-duc sous un faux nom, de capter sa confiance, et, l'heure venue, de livrer aux Tartares la ville et le grand-duc lui-même.

Avec une telle ville et un tel otage, toute la Sibérie asiatique devait tomber aux mains des envahisseurs.

Or, on le sait, ce complot était connu du czar, et c'était pour le déjouer qu'avait été confiée à Michel Strogoff l'importante missive dont il était porteur. De là aussi, les instructions les plus sévères qui avaient été données au jeune courrier, de passer incognito à travers la contrée envahie.

Cette mission, il l'avait fidèlement exécutée jusqu'ici, mais, maintenant, pourrait-il en poursuivre l'accomplissement?

Le coup qui avait frappé Michel Strogoff n'était pas mortel. En nageant de manière à éviter d'être vu, il avait atteint la rive droite, où il tomba évanoui entre les roseaux.

Quand il revint à lui, il se trouva dans la cabane d'un moujik qui l'avait recueilli et soigné, et auquel il devait d'être encore vivant. Depuis combien de temps était-il l'hôte de ce brave Sibérien? il n'eût pu le dire. Mais, lorsqu'il rouvrit les yeux, il vit une bonne figure barbue, penchée sur lui, qui le regardait d'un œil com-

patissant. Il allait demander où il était, lorsque le moujik, le prévenant, lui dit:

— Ne parle pas, petit père, ne parle pas! Tu es
encore trop faible. Je vais te dire où tu es et tout ce qui
s'est passé depuis que je t'ai rapporté dans ma cabane.

Et le moujik raconta à Michel Strogoff les divers
incidents de la lutte dont il avait été témoin, l'attaque
du bac par les barques tartares, le pillage du *tarentass*, le
massacre des bateliers!...

Mais Michel Strogoff ne l'écoutait plus, et, portant
la main à son vêtement, il sentit la lettre impériale,
toujours serrée sur sa poitrine. Il respira, mais ce
n'était pas tout.

— Une jeune fille m'accompagnait! dit-il.

— Ils ne l'ont pas tuée! répondit le moujik. Ils l'ont
emmenée dans leur barque, et ils ont continué de
descendre l'Irtych! C'est une prisonnière de plus à
joindre à tant d'autres que l'on conduit à Tomsk!

Michel Strogoff tendit la main au moujik. Puis, se
redressant par un subit effort:

— Ami, dit-il, depuis combien de temps suis-je
dans ta cabane?

— Depuis trois jours.

— As-tu un cheval à me vendre?

— Tu veux partir?

— À l'instant.

— Viens donc! répondit le moujik, comprenant
qu'il n'y avait pas à lutter contre la volonté de son
hôte. Je te conduirai moi-même, ajouta-t-il. D'ailleurs,

les Russes sont encore en grand nombre à Omsk, et tu pourras peut-être passer inaperçu.

— Ami, répondit Michel Strogoff, que le Ciel te récompense de tout ce que tu as fait pour moi!

— Une récompense! Les fous seuls en attendent sur la terre, répondit le moujik.

Michel Strogoff sortit de la cabane. Lorsqu'il voulut marcher, il fut pris d'un éblouissement tel que, sans le secours du moujik, il serait tombé, mais le grand air le remit promptement. Un seul but se dressait devant ses yeux, c'était cette lointaine Irkoutsk qu'il lui fallait atteindre! Mais il lui fallait traverser Omsk sans s'y arrêter.

— Dieu protège ma mère et Nadia! murmura-t-il. Je n'ai pas encore le droit de penser à elles!

Michel Strogoff et le moujik arrivèrent bientôt au quartier marchand de la ville basse, et, bien qu'elle fût occupée militairement, ils y entrèrent sans difficulté. L'enceinte de terre avait été détruite en maint endroit, et c'étaient autant de brèches par lesquelles pénétraient ces maraudeurs qui suivaient les armées de Féofar-Khan.

À l'intérieur d'Omsk, dans les rues, sur les places, fourmillaient les soldats tartares, mais on pouvait remarquer qu'une main de fer leur imposait une discipline à laquelle ils étaient peu accoutumés. En effet, ils ne marchaient point isolément, mais par groupes armés, en mesure de se défendre contre toute agression.

Au-dessus de la ville marchande s'étageait le haut

quartier, qu'Ivan Ogareff n'avait encore pu réduire. Sur ses murailles crénelées flottait le drapeau national aux couleurs de la Russie. Ce ne fut pas sans un légitime orgueil que Michel Strogoff et son guide le saluèrent de leurs vœux.

En ce moment, un détachement de Tartares débouchait de la place principale et prenait la rue que Michel Strogoff et son compagnon venaient de suivre pendant quelques instants.

En tête du détachement, composé d'une vingtaine de cavaliers, marchait un officier vêtu d'un uniforme très simple. Le détachement allait au grand trot dans cette rue étroite. Ni l'officier, ni son escorte ne prenaient garde aux habitants. Ces malheureux avaient à peine le temps de se ranger à leur passage. Aussi y eut-il quelques cris à demi étouffés, auxquels répondirent immédiatement des coups de lance, et la rue fut dégagée en un instant.

Quand l'escorte eut disparu :

– Quel est cet officier? demanda Michel Strogoff en se retournant vers le moujik.

Et, pendant qu'il faisait cette question, son visage était pâle comme celui d'un mort.

– C'est Ivan Ogareff, répondit le Sibérien, mais d'une voix basse qui respirait la haine.

– Lui! s'écria Michel Strogoff, auquel ce mot échappa avec un accent de rage qu'il ne put maîtriser.

Il venait de reconnaître dans cet officier le voyageur qui l'avait frappé au relais d'Ichim!

Et, fût-ce une illumination de son esprit, ce voyageur, bien qu'il n'eût fait que l'entrevoir, lui rappela en même temps le vieux tsigane, dont il avait surpris les paroles au marché de Nijni-Novgorod.

Il y avait à peine trois jours qu'Ivan Ogareff était arrivé à Omsk, et, sans leur funeste rencontre à Ichim, sans l'événement qui venait de le retenir trois jours sur les bords de l'Irtych, Michel Strogoff l'eût évidemment devancé sur la route d'Irkoutsk!

Et qui sait combien de malheurs eussent été évités dans l'avenir! En tout cas, et plus que jamais, Michel Strogoff devait fuir Ivan Ogareff et faire en sorte de ne point en être vu. Lorsque le moment serait venu de se rencontrer avec lui face à face, il saurait le retrouver – fût-il maître de la Sibérie tout entière!

Le moujik et lui reprirent donc leur course à travers la ville, et ils arrivèrent à la maison de poste. Quitter Omsk par une des brèches de l'enceinte ne serait pas difficile, la nuit venue. Quant à racheter une voiture pour remplacer le *tarentass*, ce fut impossible. Il n'y en avait ni à louer ni à vendre. Mais quel besoin Michel Strogoff avait-il d'une voiture maintenant? N'était-il pas seul, hélas! à voyager? Un cheval devait lui suffire, et, très heureusement, ce cheval, il put se le procurer. C'était un animal de fond, apte à supporter de longues fatigues, et dont Michel Strogoff, habile cavalier, pourrait tirer un bon parti.

Le cheval fut payé un haut prix, et, quelques minutes plus tard, il était prêt à partir.

Il était alors quatre heures du soir.

Michel Strogoff, obligé d'attendre la nuit pour franchir l'enceinte, mais ne voulant pas se montrer dans les rues d'Omsk, resta dans la maison de poste, et, là, il se fit servir quelque nourriture.

Il y avait grande affluence dans la salle commune. On parlait de l'arrivée prochaine d'un corps de troupes moscovites, non pas à Omsk, mais à Tomsk — corps destiné à reprendre cette ville sur les Tartares de Féofar-Khan.

Michel Strogoff prêtait une oreille attentive à tout ce qui se disait, mais il ne se mêlait point aux conversations.

Tout à coup, un cri le fit tressaillir, un cri qui le pénétra jusqu'au fond de l'âme, et ces deux mots furent pour ainsi dire jetés à son oreille :

— Mon fils !

Sa mère, la vieille Marfa, était devant lui ! Elle lui souriait, toute tremblante ! Elle lui tendait les bras !...

Michel Strogoff ne bougea pas.

— Michel ! s'écria sa mère.

— Qui êtes-vous, ma brave dame ? demanda Michel Strogoff, balbutiant ces mots plutôt qu'il ne les prononça.

— Qui je suis ? tu le demandes ! Mon enfant, est-ce que tu ne reconnais plus ta mère ?

— Vous vous trompez !... répondit froidement Michel Strogoff. Une ressemblance vous abuse...

La vieille Marfa alla droit à lui, et là, les yeux dans les yeux:

— Tu n'es pas le fils de Pierre et de Marfa Strogoff? dit-elle.

Michel Strogoff aurait donné sa vie pour pouvoir serrer librement sa mère dans ses bras!… mais s'il cédait, c'en était fait de lui, d'elle, de sa mission, de son serment!…

— Je ne sais, en vérité, ce que vous voulez dire, ma bonne femme, répondit-il en reculant de quelques pas.

— Michel! cria encore la vieille mère.

— Je ne me nomme pas Michel! Je n'ai jamais été votre fils! Je suis Nicolas Korpanoff, marchand à Irkoutsk!…

Et, brusquement, il quitta la salle commune, pendant que ces mots retentissaient une dernière fois:

— Mon fils! mon fils!

Michel Strogoff, à bout d'efforts, était parti. Il ne vit pas sa vieille mère, qui était retombée presque inanimée sur un banc. Mais, au moment où le maître de poste se précipitait pour la secourir, la vieille femme se releva. Une révélation subite s'était faite dans son esprit. Elle, reniée par son fils! ce n'était pas possible! Quant à s'être trompée et à prendre un autre pour lui, impossible également. C'était bien son fils qu'elle venait de voir, et, s'il ne l'avait pas reconnue, c'est qu'il ne voulait pas, c'est qu'il ne devait pas la reconnaître, c'est qu'il avait des raisons terribles pour en agir ainsi! Et alors, refoulant en elle ses sentiments de mère, elle n'eut plus qu'une pensée: «L'aurais-je perdu sans le vouloir?»

— Je suis folle! dit-elle à ceux qui l'interrogeaient. Mes yeux m'ont trompée! Ce jeune homme n'est pas mon enfant!

Moins de dix minutes après, un officier tartare se présentait à la maison de poste.

— Marfa Strogoff? demanda-t-il.

— C'est moi, répondit la vieille femme d'un ton si calme et le visage si tranquille, que les témoins de la rencontre qui venait de se produire ne l'auraient pas reconnue.

— Viens, dit l'officier.

Marfa Strogoff, d'un pas assuré, suivit l'officier tartare et quitta la maison de poste.

Quelques instants après, Marfa Strogoff se trouvait au bivouac de la grande place, en présence d'Ivan Ogareff, auquel tous les détails de cette scène avaient été rapportés immédiatement. Ivan Ogareff, soupçonnant la vérité, avait voulu interroger lui-même la vieille Sibérienne.

— Ton nom? demanda-t-il d'un ton rude.

-- Marfa Strogoff.

— Tu as un fils?

— Oui.

— Il est courrier du czar?

— Oui.

— Où est-il?

— À Moscou.

96

— Tu es sans nouvelles de lui?

— Sans nouvelles.

— Depuis combien de temps?

— Depuis deux mois.

— Quel est donc ce jeune homme que tu appelais ton fils, il y a quelques instants, au relais de poste?

— Un jeune Sibérien que j'ai pris pour lui, répondit Marfa Strogoff. Je crois le voir partout!

— Ainsi ce jeune homme n'était pas Michel Strogoff?

— Ce n'était pas Michel Strogoff.

— Sais-tu, vieille femme, que je puis te faire torturer jusqu'à ce que tu avoues la vérité?

— J'ai dit la vérité, et la torture ne me fera rien changer à mes paroles.

Ivan Ogareff regarda d'un œil méchant la vieille femme qui le bravait en face. Il ne doutait pas qu'elle n'eût reconnu son fils dans ce jeune Sibérien. Or, si ce fils avait d'abord renié sa mère, et si sa mère le reniait à son tour, ce ne pouvait être que par un motif des plus graves.

Donc, pour Ivan Ogareff, il n'était plus douteux que le prétendu Nicolas Korpanoff ne fût Michel Strogoff, courrier du czar, se cachant sous un faux nom, et chargé de quelque mission qu'il eût été capital pour lui de connaître. Aussi donna-t-il immédiatement ordre de se mettre à sa poursuite. Puis:

— Que cette femme soit dirigée sur Tomsk, dit-il en se retournant vers Marfa Strogoff.

Et, pendant que les soldats l'entraînaient avec brutalité, il ajouta entre ses dents:

— Quand le moment sera venu, je saurai bien la faire parler, cette vieille sorcière!

CHAPITRE XV

Les marais de la Baraba

Il était heureux que Michel Strogoff eût si brusquement quitté le relais. Les ordres d'Ivan Ogareff avaient été aussitôt transmis à toutes les issues de la ville, et son signalement envoyé à tous les chefs de poste, afin qu'il ne pût sortir d'Omsk. Mais, à ce moment, il avait déjà franchi une des brèches de l'enceinte, son cheval courait la steppe, et, n'ayant pas été immédiatement poursuivi, il devait réussir à s'échapper.

C'était le 29 juillet, à huit heures du soir, que Michel Strogoff avait quitté Omsk. Cette ville se trouve à peu près à mi-route de Moscou à Irkoutsk, où il lui fallait arriver sous dix jours, s'il voulait devancer les colonnes tartares. Évidemment, le déplorable hasard qui l'avait mis en présence de sa mère avait trahi son incognito. Michel Strogoff savait donc que l'on ferait tout pour s'emparer de lui.

Mais ce qu'il ne savait pas, ce qu'il ne pouvait savoir, c'est que Marfa Strogoff était aux mains d'Ivan Ogareff, et qu'elle allait payer, de sa vie peut-être, le mouvement qu'elle n'avait pu retenir en se trouvant soudain en présence de son fils! Et il était heureux qu'il l'ignorât! Eût-il pu résister à cette nouvelle épreuve!

À minuit, il avait franchi soixante-dix verstes et s'arrêtait à la station de Koulikovo. Mais là, ainsi qu'il le craignait, il ne trouva ni chevaux, ni voitures. Quelques détachements tartares avaient dépassé la grande route de la steppe. Tout avait été volé ou réquisitionné, soit dans les villages, soit dans les maisons de poste. C'est à peine si Michel Strogoff put obtenir quelque nourriture pour son cheval et pour lui.

Le 30 juillet, à neuf heures du matin, Michel Strogoff dépassait la station de Touroumoff et se jetait dans la contrée marécageuse de la Baraba.

En hiver, lorsque le froid a solidifié tout ce qui est liquide, lorsque la neige a nivelé le sol et condensé les miasmes, les traîneaux peuvent facilement et impunément glisser sur la croûte durcie de la Baraba. Les chasseurs fréquentent assidûment alors la giboyeuse contrée, à la poursuite des martres, des zibelines et de ces précieux renards dont la fourrure est si recherchée. Mais, pendant l'été, le marais redevient fangeux, pestilentiel, impraticable même, lorsque le niveau des eaux est trop élevé.

Michel Strogoff, lui, que le sol fût solide ou qu'il fléchît sous ses pieds, courait toujours sans s'arrêter, sautant les crevasses qui s'ouvraient entre les madriers pourris; mais, si vite qu'ils allassent, le cheval et le cavalier ne purent échapper aux piqûres de ces insectes diptères, qui infestent ce pays marécageux.

Il fallait être un aussi bon cavalier que Michel Strogoff pour ne pas être désarçonné par les réactions de son cheval, ses arrêts brusques, les sauts qu'il faisait pour échapper à l'aiguillon des diptères. Devenu insensible, pour ainsi dire, à la douleur physique, comme s'il eût été sous l'influence d'une anesthésie permanente, ne vivant plus que par le désir d'arriver à son but, coûte que coûte, il ne voyait qu'une chose dans cette course insensée, c'est que la route fuyait rapidement derrière lui.

Qui croirait que cette contrée de la Baraba, si malsaine pendant les chaleurs, pût donner asile à une population quelconque ?

Cela était, cependant. Quelques hameaux sibériens apparaissaient de loin en loin entre les joncs gigantesques. Lorsque Michel Strogoff sentait que son cheval, rompu de fatigue, était sur le point de s'abattre, il s'arrêtait à l'un de ces misérables hameaux, et là, oublieux de ses propres fatigues, il frottait lui-même les piqûres du pauvre animal avec de la graisse chaude, selon la coutume sibérienne ; puis, il lui donnait une bonne ration de fourrage, et ce n'était qu'après l'avoir bien pansé, bien pourvu, qu'il songeait à lui-même, qu'il réparait ses forces, en mangeant quelque morceau de pain et de viande, en buvant quelque verre de *kwass*. Une heure après, deux heures au plus, il reprenait à toute vitesse l'interminable route d'Irkoutsk.

Quatre-vingt-dix verstes furent ainsi franchies depuis Touroumoff, et le 30 juillet, à quatre heures du soir, Michel Strogoff, insensible à toute fatigue, arrivait à Elamsk.

Là, il fallut donner une nuit de repos à son cheval. Le courageux animal n'eût pu continuer plus longtemps ce voyage.

Le lendemain, Michel Strogoff quittait Elamsk au moment où l'on signalait les premiers éclaireurs tartares, à dix verstes en arrière, sur la route de la Baraba, et il s'élançait de nouveau à travers la marécageuse contrée.

Le surlendemain, 1er août, cent vingt verstes plus loin, à midi, Michel Strogoff arrivait au bourg de Spaskoï, et, à deux heures, il faisait halte à celui de Pokrowskoï.

Son cheval, surmené depuis son départ d'Elamsk, n'aurait pas pu faire un pas de plus.

Là, Michel Strogoff dut perdre encore, pour un repos forcé, la fin de cette journée et la nuit tout entière ; mais, reparti le lendemain matin, toujours courant à travers le sol à demi inondé, le 2 août, à quatre heures du soir, après une étape de soixante-quinze verstes, il atteignit Kamsk.

Michel Strogoff aurait pu trouver une voiture à Kamsk et remplacer par un véhicule plus commode le cheval qui le portait depuis Omsk. Mais, après mûre réflexion, il craignit que l'achat d'un *tarentass* n'attirât l'attention sur lui.

Donc, pendant la soirée et pendant la nuit du 2 au 3 août, Michel Strogoff resta confiné dans son auberge, à l'entrée de la ville, auberge peu fréquentée et à l'abri des importuns ou des curieux. Brisé par la fatigue, il se coucha, après avoir veillé à ce que son cheval ne manquât de rien ; mais il ne put dormir que d'un sommeil intermittent. Trop de souvenirs, trop d'inquiétudes l'assaillaient à la fois. L'image de sa vieille mère, celle de sa jeune et intrépide compagne, laissées derrière lui, sans protection, passaient alternativement devant son esprit et s'y confondaient souvent dans une même pensée.

Le lendemain matin, à six heures, Michel Strogoff repartit avec l'intention de faire dans cette journée les quatre-vingts verstes (85 kilomètres) qui séparent Kamsk du hameau d'Oubinsk. Au-delà d'un rayon de vingt verstes, il retrouva la marécageuse Baraba, qu'aucune dérivation n'asséchait plus, et dont le sol était souvent noyé sous un pied d'eau. La route était alors difficile à reconnaître, mais, grâce à son extrême prudence, cette traversée ne fut marquée par aucun accident.

Michel Strogoff, arrivé à Oubinsk, laissa son cheval reposer pendant toute la nuit, car il voulait, dans la journée suivante, enlever sans débrider les cent verstes qui se développent entre Oubinsk et Ikoulskoï. Il partit donc dès l'aube, mais, malheureusement, dans cette partie, le sol de la Baraba fut de plus en plus détestable.

Le soir, à neuf heures, Michel Strogoff, arrivé à

Ikoulskoï, s'y arrêta pendant toute la nuit. Dans ce bourg perdu de la Baraba, les nouvelles de la guerre faisaient absolument défaut. Par sa nature même, cette portion de la province, placée dans la fourche que formaient les deux colonnes tartares en se bifurquant l'une sur Omsk, l'autre sur Tomsk, avait échappé jusqu'ici aux horreurs de l'invasion.

Enfin, vers trois heures et demie du soir, après avoir dépassé la station de Kargatsk, Michel Strogoff quittait les dernières dépressions de la Baraba, et le sol dur et sec du territoire sibérien sonnait de nouveau sous le pied de son cheval.

Il avait quitté Moscou le 15 juillet. Donc, ce jour-là, 5 août, en y comprenant plus de soixante-dix heures perdues sur les bords de l'Irtych, vingt et un jours s'étaient écoulés depuis son départ.

Quinze cents verstes le séparaient encore d'Irkoutsk.

CHAPITRE XVI

Un dernier effort

Michel Strogoff avait raison de redouter quelque mauvaise rencontre dans ces plaines qui se prolongent au-delà de la Baraba. Les champs, foulés du pied des chevaux, montraient que les Tartares y avaient passé, et de ces barbares on pouvait dire ce que l'on a dit des Turcs : « Là où le Turc passe, l'herbe ne repousse jamais ! »

Michel Strogoff fit deux verstes sur la route absolument déserte. Il cherchait du regard, à droite et à gauche, quelque maison qui n'eût pas été délaissée. Toutes celles qu'il visita étaient vides.

Une hutte, cependant, qu'il aperçut entre les arbres, fumait encore. Lorsqu'il en approcha, il vit, à quelques pas des restes de sa maison, un vieillard, entouré d'enfants qui pleuraient. Une femme, jeune encore, sa fille sans doute, la mère de ces petits, agenouillée sur le sol, regardait d'un œil hagard cette scène de désolation. Elle allaitait un enfant de quelques mois, auquel son lait devait manquer bientôt. Tout, autour de cette famille, n'était que ruines et dénuement ! Michel Strogoff alla au vieillard.

— Les Tartares ont passé par ici ?

— Oui, puisque ma maison est en flammes !

— Était-ce une armée ou un détachement ?

— Une armée, puisque, si loin que ta vue s'étende, nos champs sont dévastés !

— Commandée par l'émir ?...

— Par l'émir, puisque les eaux de l'Obi sont devenues rouges !

— Et Féofar-Khan est entré à Tomsk ?

— À Tomsk.

— Sais-tu si les Tartares se sont emparés de Kolyvan ?

— Non, puisque Kolyvan ne brûle pas encore !

— Merci, ami. Puis-je faire quelque chose pour toi et les tiens ?

— Rien.

— Au revoir.

— Adieu.

Et Michel Strogoff, après avoir mis vingt-cinq roubles sur les genoux de la malheureuse femme, qui n'eut même pas la force de le remercier, pressa son cheval et reprit sa marche, interrompue un instant.

La nuit était venue, après une assez chaude journée. Une assez profonde obscurité, à minuit, enveloppa la steppe. Le vent, complètement tombé au coucher du soleil, laissait à l'atmosphère un calme complet. Seul, le bruit des pas du cheval se faisait entendre sur la route déserte, et aussi quelques paroles avec lesquelles son maître l'encourageait. Au milieu de ces ténèbres, il fallait une extrême attention pour ne pas se jeter hors du chemin, bordé d'étangs et de petits cours d'eau, tributaires de l'Obi.

Michel Strogoff s'avançait donc aussi rapidement que possible, mais avec une certaine circonspection. Il s'en rapportait non moins à l'excellence de ses yeux, qui perçaient l'ombre, qu'à la prudence de son cheval, dont il connaissait la sagacité.

Michel Strogoff cherchait à reconnaître exactement la direction de la route, lorsqu'il lui sembla entendre un murmure confus qui venait de l'ouest. C'était comme le bruit d'une chevauchée lointaine sur la terre sèche. Pas de doute. Il se produisait, à une ou deux verstes en arrière, un certain cadencement de pas qui frappaient régulièrement le sol.

Michel Strogoff regarda autour de lui, et son œil si pénétrant découvrit une masse confusément estompée dans l'ombre, à une centaine de pas en avant, sur la gauche de la route. «Il y a là quelque taillis, se dit-il. Y chercher refuge, c'est m'exposer peut-être à être pris, si ces cavaliers le fouillent, mais je n'ai pas le choix! Les voilà! les voilà!»

À peine Michel Strogoff avait-il pris place derrière un bouquet de mélèzes, qu'une lueur assez confuse apparut, sur laquelle tranchaient çà et là quelques points brillants qui s'agitaient dans l'ombre. «Des torches!» se dit-il.

Le détachement, arrivé à la hauteur du taillis, s'arrêta. Les cavaliers mirent pied à terre. Ils étaient cinquante environ. Une dizaine d'entre eux portaient des torches, qui éclairaient la route dans un large rayon.

C'était un détachement qui venait d'Omsk. Il se composait de cavaliers uzbeks, race dominante en Tartarie, que leur type rapproche sensiblement des Mongols. Ces hommes, bien constitués, d'une taille au-dessus de la moyenne, aux traits rudes et sauvages, étaient coiffés du *talpak*, sorte de bonnet de peau de mouton noir, et chaussés de bottes jaunes à hauts talons, dont le bout se relevait en pointe, comme aux souliers du Moyen Âge.

Ce détachement était conduit par un *pendja-baschi*, c'est-à-dire un commandant de cinquante hommes, ayant en sous-ordre un *deh-baschi*, simple commandant de dix hommes. Ces deux officiers portaient un casque et une demi-cotte de mailles ; de petites trompettes, attachées à l'arçon de leur selle, formaient le signe distinctif de leur grade.

Le *pendja-baschi* avait dû faire reposer ses hommes, fatigués d'une longue étape. Tout en causant, le second officier et lui, fumant le *beng*, feuille de chanvre qui forme la base du haschisch dont les Asiatiques font un si grand usage, allaient et venaient dans le bois, de sorte que Michel Strogoff, sans être vu, put saisir et comprendre leur conversation, car ils s'exprimaient en langue tartare.

Dès les premiers mots de cette conversation, l'attention de Michel Strogoff fut singulièrement surexcitée. En effet, c'était de lui qu'il s'agissait.

— Ce courrier ne saurait avoir une telle avance sur nous, dit le *pendja-baschi*, et, d'autre part, il est absolument impossible qu'il ait suivi d'autre route que celle de la Baraba.

— Une rude femme, cette vieille Sibérienne, qui est évidemment sa mère ! dit le *deh-baschi*.

À cette phrase, le cœur de Michel Strogoff battit à se briser.

— Oui, répondit le *pendja-baschi*, elle a bien soutenu que ce prétendu marchand n'était pas son fils, mais il était trop tard. Le colonel Ogareff ne s'y est pas laissé prendre, et, comme il l'a dit, il saura bien faire parler la vieille sorcière, quand le moment en sera venu.

Autant de mots, autant de coups de poignard pour Michel Strogoff ! Il était reconnu pour être un courrier du czar! Un détachement de cavaliers, lancé à sa poursuite, ne pouvait manquer de lui couper la route! Et, suprême douleur! sa mère était entre les mains des Tartares, et le cruel Ogareff se faisait fort de la faire parler lorsqu'il le voudrait!

Michel Strogoff savait bien que l'énergique Sibérienne ne parlerait pas, et qu'il lui en coûterait la vie!…

Quant à lui-même, Michel Strogoff apprit, par quelques mots du *pendja-baschi*, que sa tête était mise à prix, et qu'ordre était donné de le prendre mort ou vif.

Donc, il y avait nécessité immédiate de devancer les cavaliers uzbeks sur la route d'Irkoutsk et de mettre l'Obi entre eux et lui. Mais, pour cela, il fallait fuir avant que le bivouac fût levé.

Il n'y avait donc pas un instant à perdre. Il était une heure du matin. Il fallait profiter de l'obscurité que l'aube allait chasser bientôt, pour quitter le petit bois et se jeter sur la route; mais, bien que la nuit dût la favoriser, le succès d'une telle fuite paraissait presque impossible.

Michel Strogoff, en rampant sous l'herbe, s'approcha de son cheval, qui était couché sur le sol. Il le flatta de la main, il lui parla doucement, il parvint à le faire lever sans bruit.

En ce moment – circonstance favorable –, les torches, entièrement consumées, étaient éteintes, et l'obscurité restait encore assez profonde, au moins sous le couvert des mélèzes.

Michel Strogoff, après avoir remis le mors, assuré la sangle de la selle, éprouvé la courroie des étriers, commença à tirer doucement son cheval par la bride. Du reste, l'intelligent animal, comme s'il eût compris ce que l'on voulait de lui, suivit docilement son maître, sans faire entendre le plus léger hennissement.

Malheureusement, au moment où Michel Strogoff allait franchir la lisière du taillis, le cheval d'un Uzbek, le flairant, hennit et s'élança sur la route.

Son maître courut à lui pour le ramener, mais, apercevant une silhouette qui se détachait confusément aux premières lueurs de l'aube :

– Alerte! cria-t-il.

Mais déjà Michel Strogoff s'était mis en selle.

En ce moment, une détonation éclata, et il sentit une balle qui traversait sa pelisse.

Sans tourner la tête, sans répondre, il piqua des deux, et, franchissant la lisière du taillis par un bond formidable, il s'élança bride abattue dans la direction de l'Obi.

Les chevaux uzbeks étant déharnachés, il allait donc pouvoir prendre une certaine avance sur les cavaliers du détachement; mais ceux-ci ne pouvaient tarder à se jeter sur ses traces, et, en effet, moins de deux minutes après qu'il eut quitté le bois, il entendit le bruit de plusieurs chevaux qui, peu à peu, gagnaient sur lui.

Le jour commençait à se faire alors, et les objets devenaient visibles dans un plus large rayon.

Michel Strogoff, tournant la tête, aperçut un cavalier qui l'approchait rapidement. C'était le *deh-baschi*. Cet officier, supérieurement monté, tenait la tête du détachement et menaçait d'atteindre le fugitif.

Sans s'arrêter, Michel Strogoff tendit vers lui son revolver, et, d'une main qui ne tremblait pas, il le visa un instant. L'officier uzbek, atteint en pleine poitrine, roula sur le sol.

Mais les autres cavaliers le suivaient de près, et, sans s'attarder près du *deh-baschi*, s'excitant par leurs propres vociférations, enfonçant l'éperon dans le flanc de leurs chevaux, ils diminuèrent peu à peu la distance qui les séparait de Michel Strogoff.

Plusieurs fois, des coups de fusil furent tirés sur Michel Strogoff, mais sans l'atteindre, et, plusieurs fois aussi, il dut décharger son revolver sur ceux des cavaliers qui le serraient de trop près. Chaque fois, un Uzbek roula à terre, au milieu des cris de rage de ses compagnons.

Mais cette poursuite ne pouvait se terminer qu'au désavantage de Michel Strogoff. Son cheval n'en pouvait plus, et, cependant, il parvint à l'enlever jusqu'à la berge du fleuve.

Le détachement uzbek, à ce moment, n'était plus qu'à cinquante pas en arrière de lui.

Sur l'Obi, absolument désert, pas de bac, pas un bateau qui pût servir à passer le fleuve.

— Courage, mon brave cheval! s'écria Michel Strogoff. Allons! Un dernier effort!

Et il se précipita dans le fleuve, qui mesurait en cet endroit une demi-verste de largeur.

Les cavaliers s'étaient arrêtés sur la berge du fleuve, et ils hésitaient à s'y précipiter.

Mais, à ce moment, le *pendja-baschi*, saisissant son fusil, visa avec soin le fugitif, qui se trouvait déjà au milieu du courant. Le coup partit, et le cheval de Michel Strogoff, frappé au flanc, s'engloutit sous son maître.

Celui-ci se débarrassa vivement de ses étriers, au moment où l'animal disparaissait sous les eaux du fleuve. Puis, plongeant à propos au milieu d'une grêle de balles, il parvint à atteindre la rive droite du fleuve et disparut dans les roseaux qui hérissaient la berge de l'Obi.

CHAPITRE XVII

Versets et chansons

Tout d'abord, Michel Strogoff commença par s'orienter.

À deux verstes en avant, en suivant le cours de l'Obi, une petite ville, pittoresquement étagée, s'élevait sur une légère intumescence du sol. Quelques églises, à coupoles byzantines, coloriées de vert et d'or, se profilaient sur le fond gris du ciel.

C'était Kolyvan, où les fonctionnaires et les employés de Kamsk et autres villes vont se réfugier pendant l'été pour fuir le climat malsain de la Baraba. Kolyvan, d'après les nouvelles que le courrier du czar avait apprises, ne devait pas être encore aux mains des envahisseurs. Les troupes tartares, scindées en deux colonnes, s'étaient portées à gauche sur Omsk, à droite sur Tomsk, négligeant le pays intermédiaire.

Le projet, simple et logique, que forma Michel Strogoff, ce fut de gagner Kolyvan avant que les cavaliers uzbeks, qui remontaient la rive gauche de l'Obi, y fussent arrivés. Là, dût-il en payer dix fois la valeur, il se procurerait des habits, un cheval, et rejoindrait la route d'Irkoutsk à travers la steppe méridionale.

Michel Strogoff se dirigeait donc d'un pas rapide vers Kolyvan, lorsque des détonations lointaines arrivèrent jusqu'à lui. Il n'était plus qu'à une demi-verste de Kolyvan, lorsqu'un long jet de feu fusa entre les maisons de la ville, et le clocher d'une église s'écroula au milieu de torrents de poussière et de flammes.

La lutte était-elle alors dans Kolyvan ? Michel Strogoff dut le penser, et, dans ce cas, il était évident que Russes et Tartares se battaient dans les rues de la ville. Ne valait-il pas mieux, même à pied, gagner au sud et à l'est quelque bourgade, telle que Diachinsk ou autre, et là se procurer à tout prix un cheval ?

C'était le seul parti à prendre, et aussitôt, abandonnant les rives de l'Obi, Michel Strogoff se porta franchement sur la droite de Kolyvan.

Michel Strogoff courait à travers la steppe, cherchant à gagner le couvert de quelques arbres, disséminés çà et là, lorsqu'un détachement de cavalerie tartare apparut sur la droite.

Michel Strogoff ne pouvait évidemment plus continuer à fuir dans cette direction. Les cavaliers s'avançaient rapidement vers la ville, et il lui eût été difficile de leur échapper.

Soudain, à l'angle d'un épais bouquet d'arbres, il vit une maison isolée qu'il lui était possible d'atteindre avant d'avoir été aperçu. Il se précipita donc vers cette maison, distante d'une demi-verste au plus. En s'en approchant, il reconnut que cette maison était un poste télégraphique. Deux fils en partaient dans les directions ouest et est, et un troisième fil était tendu vers Kolyvan.

Michel Strogoff s'élança aussitôt vers la porte de la maison et la repoussa violemment. Une seule personne se trouvait dans la salle où se faisaient les transmissions télégraphiques. C'était un employé, calme, flegmatique, indifférent à ce qui se passait au-dehors. Fidèle à son poste, il attendait derrière son guichet que le public vînt réclamer ses services.

Michel Strogoff courut à lui, et d'une voix brisée par la fatigue :

– Que savez-vous ? lui demanda-t-il.

– Rien, répondit l'employé en souriant.

– Ce sont les Russes et les Tartares qui sont aux prises ?

– On le dit.

– Mais quels sont les vainqueurs ?

— Je l'ignore.

— Et le fil n'est pas coupé? demanda Michel Strogoff.

— Il est coupé entre Kolyvan et Krasnoïarsk, mais il fonctionne encore entre Kolyvan et la frontière russe.

— Pour le gouvernement?

— Pour le gouvernement, lorsqu'il le juge convenable. Pour le public, lorsqu'il paie. C'est dix kopecks par mot. Quand vous voudrez, monsieur?

Michel Strogoff allait répondre à cet étrange employé qu'il n'avait aucune dépêche à expédier, qu'il ne réclamait qu'un peu de pain et d'eau, lorsque la porte de la maison fut brusquement ouverte.

Michel Strogoff, croyant que le poste était envahi par les Tartares, s'apprêtait à sauter par la fenêtre, quand il reconnut que deux hommes seulement venaient d'entrer dans la salle, lesquels n'avaient rien moins que la mine de soldats tartares.

L'un d'eux tenait à la main une dépêche écrite au crayon, et, devançant l'autre, il se précipita au guichet de l'impassible employé.

Dans ces deux hommes, Michel Strogoff retrouva, avec un étonnement que chacun comprendra, deux personnages auxquels il ne pensait guère et qu'il ne croyait plus jamais revoir.

C'étaient les correspondants Harry Blount et Alcide Jolivet, non plus compagnons de voyage, mais rivaux, mais ennemis, maintenant qu'ils opéraient sur le champ de bataille.

Michel Strogoff s'était mis à l'écart, dans l'ombre, et, sans être vu, il pouvait tout voir et tout entendre, il allait évidemment apprendre des nouvelles intéressantes pour lui et savoir s'il devait ou non entrer dans Kolyvan.

Harry Blount, plus pressé que son collègue, avait pris possession du guichet, et il tendait sa dépêche, pendant qu'Alcide Jolivet, contrairement à ses habitudes, piétinait d'impatience.

— C'est dix kopecks par mot, dit l'employé en prenant la dépêche.

Et, avec le plus grand sang-froid du monde, il commença à télégraphier la dépêche suivante :

« *Daily Telegraph, Londres. De Kolyvan, gouvernement d'Omsk, Sibérie, 6 août. — Engagement des troupes russes et tartares…* »

Cette lecture étant faite à haute voix, Michel Strogoff entendait tout ce que le correspondant anglais adressait à son journal.

« *Troupes russes repoussées avec grandes pertes. Tartares entrés dans Kolyvan ce jour même…* »

Ces mots terminaient la dépêche.

— À mon tour maintenant ! s'écria Alcide Jolivet.

Mais cela ne faisait pas l'affaire du correspondant anglais, qui ne comptait pas abandonner le guichet.

— Je n'ai pas fini, répondit simplement Harry Blount.

Et il continua à écrire une suite de mots qu'il passa ensuite à l'employé, et que celui-ci lut de sa voix tranquille : «*Au commencement, Dieu créa le ciel et la terre !...*»

C'étaient les versets de la Bible que Harry Blount télégraphiait, pour employer le temps et ne pas céder sa place à son rival.

Alcide Jolivet enrageait littéralement.

Cependant, Harry Blount était retourné près de la fenêtre, mais, cette fois, distrait sans doute par l'intérêt du spectacle, il prolongea un peu trop longtemps son observation. Aussi Alcide Jolivet prit-il sans faire de bruit sa place au guichet, et, ainsi qu'avait fait son confrère, après avoir déposé tout doucement une respectable pile de roubles sur la tablette, il remit sa dépêche, que l'employé lut à haute voix :

«*Madeleine Jolivet, 10, Faubourg-Montmartre (Paris). De Kolyvan, gouvernement d'Omsk, Sibérie, 6 août. Les fuyards s'échappent de la ville. Russes battus. Poursuite acharnée de la cavalerie tartare...*»

Et lorsque Harry Blount revint, il entendit Alcide Jolivet qui complétait son télégramme en chantonnant d'une voix moqueuse :

— «*Il est un petit homme / Tout habillé de gris, / Dans Paris !...*»

Pour Michel Strogoff, il n'était pas douteux que les Russes ne fussent repoussés de Kolyvan. Sa dernière ressource était donc de se jeter à travers la steppe méridionale.

Mais alors une fusillade terrible éclata près du poste

télégraphique, et une grêle de balles fit sauter les vitres de la fenêtre.

Harry Blount, frappé à l'épaule, tomba à terre.

Le poste fut alors envahi par des soldats tartares, et ni Michel Strogoff, ni les journalistes ne purent opérer leur retraite. Alcide Jolivet s'était précipité vers Harry Blount, étendu sur le sol, et, en brave cœur qu'il était, il l'avait chargé sur ses épaules dans l'intention de fuir avec lui… Il était trop tard!

Tous deux étaient prisonniers, et, en même temps qu'eux, Michel Strogoff, surpris à l'improviste au moment où il allait s'élancer par la fenêtre, tombait entre les mains des Tartares!

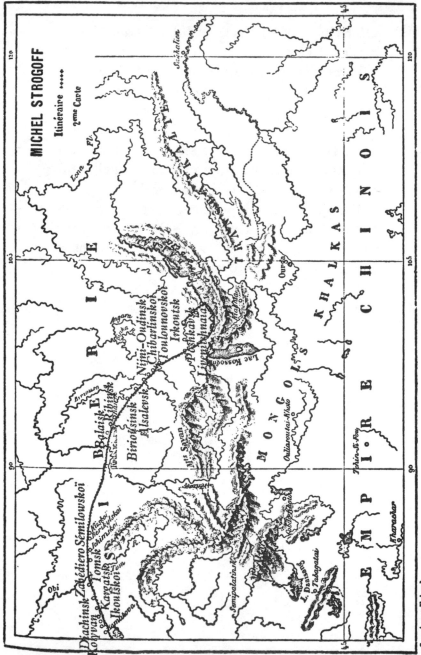

MICHEL STROGOFF

Itinéraire •••••

2ème Carte

SIBÉRIE

EMPIRE CHINOIS

KHALKAS

MONGOLS

Gravé par Erhard.

DEUXIÈME PARTIE

CHAPITRE PREMIER
Un camp tartare

À une journée de marche de Kolyvan, quelques verstes en avant du bourg de Diachinsk, s'étend une vaste plaine que dominent quelques grands arbres, principalement des pins et des cèdres.

Là se dressaient les tentes tartares, là campait Féofar-Khan, le farouche émir de Boukhara, et c'est là que le lendemain, 7 août, furent amenés les prisonniers faits à Kolyvan, après l'anéantissement du petit corps russe.

Irkoutsk était maintenant coupée de toute communication avec l'Europe. Si les troupes de l'Amour et de la province d'Irkoutsk n'arrivaient pas à temps pour l'occuper, cette capitale de la Russie asiatique, réduite à des forces insuffisantes, tomberait aux mains des Tartares, et, avant qu'elle eût pu être reprise, le grand-duc, frère de l'empereur, aurait été livré à la vengeance d'Ivan Ogareff.

Michel Strogoff était un de ces hommes qui ne s'arrêtent que le jour où ils tombent morts. Or il vivait, il n'avait pas même été blessé, la lettre impériale était toujours sur lui, son incognito avait été respecté. Sans doute, il comptait au nombre de ces prisonniers que les Tartares entraînaient comme un vil bétail; mais, en se rapprochant de Tomsk, il se rapprochait aussi d'Irkoutsk. Enfin, il devançait toujours Ivan Ogareff. «J'arriverai!» se répétait-il.

Lorsque les prisonniers faits à Kolyvan arrivèrent devant les tentes de Féofar et des grands dignitaires du khanat, les tambours battirent aux champs, les trompettes sonnèrent. À ces bruits déjà formidables se mêlèrent de stridentes mousquetades et la détonation plus grave des canons de quatre et de six qui formaient l'artillerie de l'émir.

L'émir, au moment où les prisonniers furent amenés au camp, était dans sa tente. Il ne se montra pas. Et ce fut heureux, sans doute. Un geste, un mot de lui n'aurait pu être que le signal de quelque sanglante exécution. Mais il se retrancha dans cet isolement, qui constitue en partie la majesté des rois orientaux. On admire qui ne se montre pas, et surtout on le craint.

Quant aux prisonniers, ils allaient être parqués dans quelque enclos, où, maltraités, à peine nourris, exposés à toutes les intempéries du climat, ils attendraient le bon plaisir de Féofar.

De tous, le plus docile, sinon le plus patient, était

certainement Michel Strogoff. Il se laissait conduire, car on le conduisait là où il voulait aller, et dans des conditions de sécurité que, libre, il n'eût pu trouver sur cette route de Kolyvan à Tomsk. S'échapper avant d'être arrivé dans cette ville, c'était s'exposer à retomber entre les mains des éclaireurs qui battaient la steppe. La ligne la plus orientale, occupée alors par les colonnes tartares, ne se trouvait pas située au-delà du quatre-vingt-deuxième méridien qui traverse Tomsk. Donc, ce méridien franchi, Michel Strogoff devait compter qu'il serait en dehors des zones ennemies, qu'il pourrait traverser l'Ienisseï sans danger, et gagner Krasnoïarsk, avant que Féofar-Khan eût envahi la province.

« Une fois à Tomsk, se répétait-il pour réprimer quelques mouvements d'impatience dont il n'était pas toujours maître, en quelques minutes, je serai au-delà des avant-postes, et douze heures gagnées sur Féofar, douze heures sur Ogareff, cela me suffira pour les devancer à Irkoutsk ! »

En même temps que Michel Strogoff et tant d'autres prisonniers, Harry Blount et Alcide Jolivet avaient été conduits au camp tartare. Leur ancien compagnon de voyage, pris avec eux au poste télégraphique, savait qu'ils étaient parqués comme lui dans cet enclos que surveillaient de nombreuses sentinelles, mais il n'avait point cherché à se rapprocher d'eux. Peu lui importait, en ce moment du moins, ce qu'ils pouvaient penser de lui depuis l'affaire du relais d'Ichim. D'ailleurs, il voulait être seul pour agir seul, le cas échéant. Il s'était donc tenu à l'écart.

Alcide Jolivet, que sa philosophie pratique n'abandonnait jamais, avait physiquement et moralement réconforté son confrère par tous les moyens en son pouvoir. Son premier soin, lorsqu'il se vit définitivement enfermé dans l'enclos, fut de visiter la blessure de Harry Blount. Il parvint à lui retirer très adroitement son habit et reconnut que son épaule avait été seulement frôlée par un éclat de mitraille.

– Ce n'est rien, dit-il. Une simple éraflure ! Après deux ou trois pansements, cher confrère, il n'y paraîtra plus !

Et sur cette affirmation, Alcide Jolivet, déchirant son mouchoir, fit de la charpie de l'un des morceaux, des tampons de l'autre, prit de l'eau à un puits creusé au milieu de l'enclos, lava la blessure, qui, fort heureusement, n'était pas grave, et disposa avec beaucoup d'adresse les linges mouillés sur l'épaule de Harry Blount.

Quatre jours se passèrent, pendant lesquels l'état de choses ne fut aucunement modifié. Les prisonniers n'entendirent point parler de la levée du camp tartare. Ils étaient surveillés sévèrement. Il leur eût été impossible de traverser le cordon de fantassins et de cavaliers qui les gardaient nuit et jour. Quant à la nourriture qui leur était attribuée, elle leur suffisait à peine. Deux fois par vingt-quatre heures, on leur jetait un morceau d'intestin de chèvre, grillé sur les charbons, ou quelques portions de ce fromage appelé *kroute*, fabriqué avec du lait aigre de brebis, et qui, trempé de lait de jument, forme le mets kirghiz le·plus communément nommé *koumyss*. Et c'était tout. Il faut ajouter aussi que le temps devint détestable. Il se produisit de grandes perturbations atmosphériques, qui amenèrent des bourrasques mêlées de pluie. Les malheureux, sans aucun abri, durent supporter ces intempéries malsaines, et aucun adoucissement ne fut apporté à leurs misères. Quelques blessés, des femmes, des enfants moururent, et les prisonniers eux-mêmes durent enterrer ces cadavres, auxquels leurs gardiens ne voulaient même pas donner la sépulture.

Cet état de choses allait-il durer? Féofar-Khan, satisfait de ses premiers succès, voulait-il donc attendre quelque temps avant de marcher sur Irkoutsk? On pouvait le craindre, mais il n'en fut rien. L'événement se produisit dans la matinée du 12 août.

Ce jour-là, les trompettes sonnèrent, les tambours battirent, la mousquetade éclata. Un énorme nuage de poussière se déroulait au-dessus de la route de Kolyvan.

Ivan Ogareff, suivi de plusieurs milliers d'hommes, faisait son entrée au camp tartare.

CHAPITRE II

Une attitude d'Alcide Jolivet

C'était tout un corps d'armée qu'Ivan Ogareff amenait à l'émir. Ces cavaliers et ces fantassins faisaient partie de la colonne qui s'était emparée d'Omsk. Ivan Ogareff, n'ayant pu réduire la ville haute, dans laquelle le gouverneur et la garnison avaient cherché refuge, s'était décidé à passer outre, ne voulant pas retarder les opérations qui devaient amener la conquête de la Sibérie orientale. Il avait donc laissé une garnison suffisante à Omsk. Puis, entraînant ses hordes, se renforçant en route des vainqueurs de Kolyvan, il venait faire sa jonction avec l'armée de Féofar.

En même temps que ses soldats, Ivan Ogareff amenait un convoi de prisonniers russes et sibériens, capturés soit à Omsk, soit à Kolyvan. Ces malheureux ne furent pas conduits à l'enclos, déjà trop petit pour ceux qu'il contenait, et ils durent rester aux avant-postes, sans abri, presque sans nourriture.

Ce corps d'armée n'était pas venu d'Omsk et de Kolyvan sans entraîner à sa suite la foule de mendiants, de maraudeurs, de marchands, de bohémiens qui forment habituellement l'arrière-garde d'une armée en marche.

Au nombre de ces bohémiens, accourus des provinces de l'ouest, figurait la troupe tsigane qui avait accompagné Michel Strogoff jusqu'à Perm. Sangarre était là. Cette sauvage espionne, âme damnée d'Ivan Ogareff, ne quittait pas son maître. On les a vus, tous deux, préparant leurs machinations, en Russie même, dans le gouvernement de Nijni-Novgorod. Après la traversée de l'Oural, ils s'étaient séparés pour quelques jours seulement. Ivan Ogareff avait rapidement gagné Ichim, tandis que Sangarre et sa troupe se dirigeaient sur Omsk par le sud de la province.

Sangarre, autrefois compromise dans une très grave affaire, avait été sauvée par l'officier russe. Elle n'avait point oublié ce qu'elle lui devait et s'était donnée à lui, corps et âme. Ivan Ogareff, entré dans la voie de la trahison, avait compris quel parti il pouvait tirer de cette femme. Quelque ordre qu'il lui donnât, Sangarre l'exécutait. Un instinct inexplicable, plus impérieux encore que celui de la reconnaissance, l'avait poussée à se faire l'esclave du traître, auquel elle était attachée depuis les premiers temps de son exil en Sibérie.

Depuis son arrivée à Omsk, où elle l'avait rejoint avec ses tsiganes, Sangarre n'avait plus quitté Ivan Ogareff. La circonstance qui avait mis en présence Michel et Marfa Strogoff lui était connue. Les craintes d'Ivan Ogareff, relatives au passage d'un courrier du czar, elle les savait et les partageait. Marfa Strogoff prisonnière, elle eût été femme à la torturer avec tout le raffinement d'une Peau-Rouge, afin de lui arracher son secret. Mais l'heure n'était pas venue à laquelle

Ivan Ogareff voulait faire parler la vieille Sibérienne. Sangarre devait attendre, et elle attendait, sans perdre des yeux celle qu'elle espionnait à son insu, guettant ses moindres gestes, ses moindres paroles, l'observant jour et nuit, cherchant à entendre ce mot de «fils» s'échapper de sa bouche, mais déjouée jusqu'alors par l'inaltérable impassibilité de Marfa Strogoff.

Cependant, au premier éclat des fanfares, le grand maître de l'artillerie tartare et le chef des écuries de l'émir, suivis d'une brillante escorte de cavaliers uzbeks, s'étaient portés au front du camp afin de recevoir Ivan Ogareff.

Lorsqu'ils furent arrivés en sa présence, ils lui rendirent les plus grands honneurs et l'invitèrent à les accompagner à la tente de Féofar-Khan.

Ivan Ogareff, imperturbable comme toujours, répondit froidement aux déférences des hauts fonctionnaires envoyés à sa rencontre. Il était très simplement vêtu, mais, par une sorte de bravade impudente, il portait encore un uniforme d'officier russe.

Au moment où il rendait la main à son cheval pour franchir l'enceinte du camp, Sangarre, passant entre les cavaliers de l'escorte, s'approcha de lui et demeura immobile.

— Rien? demanda Ivan Ogareff.

— Rien.

— Sois patiente.

— L'heure approche-t-elle où tu forceras la vieille femme à parler?

— Elle approche, Sangarre.

Les grands yeux noirs de Sangarre jetèrent un éclat extraordinaire, et elle se retira d'un pas tranquille.

Ivan Ogareff pressa les flancs de son cheval, et, suivi de son état-major d'officiers tartares, il se dirigea vers la tente de l'émir. Féofar-Khan attendait son lieutenant. Le conseil, composé du porteur du sceau royal, du *khodja*[1] et de quelques hauts fonctionnaires, avait pris place sous la tente. Ivan Ogareff descendit de cheval, entra, et se trouva devant l'émir.

Féofar-Khan était un homme de quarante ans, haut de stature, le visage assez pâle, les yeux méchants, la physionomie farouche.

Au moment où Ivan Ogareff parut, les grands dignitaires demeurèrent assis sur leurs coussins festonnés d'or; mais Féofar se leva d'un riche divan qui occupait le fond de la tente, dont le sol disparaissait sous l'épaisse moquette d'un tapis boukharien. L'émir s'approcha d'Ivan Ogareff et lui donna un baiser, à la signification duquel il n'y avait pas à se méprendre. Ce baiser faisait du lieutenant le chef du conseil et le plaçait temporairement au-dessus du *khodja*.

Puis, Féofar, s'adressant à Ivan Ogareff:

— Je n'ai point à t'interroger, dit-il, parle, Ivan. Tu ne trouveras ici que des oreilles bien disposées à t'entendre.

— *Takhsir* [c'est l'équivalent du nom de «Sire», qui

1. Chef du conseil.

127

est donné aux sultans de Boukhara], répondit Ivan Ogareff, le temps n'est pas aux inutiles paroles. Ce que j'ai fait, à la tête de tes troupes, tu le sais. Les lignes de l'Ichim et de l'Irtych sont maintenant en notre pouvoir, et les cavaliers turcomans peuvent baigner leurs chevaux dans leurs eaux devenues tartares. Les hordes kirghizes se sont soulevées à la voix de Féofar-Khan, et la principale route sibérienne t'appartient depuis Ichim jusqu'à Tomsk. Tu peux donc pousser tes colonnes aussi bien vers l'orient où le soleil se lève, que vers l'occident où il se couche.

— Et quel avis t'inspire ton dévouement à la cause tartare? demanda l'émir, après quelques instants de silence.

— Mon avis, répondit vivement Ivan Ogareff, c'est de marcher au-devant du soleil! C'est de donner l'herbe des steppes orientales à dévorer aux chevaux turcomans! C'est de prendre Irkoutsk, la capitale des provinces de l'est, et, avec elle, l'otage dont la possession vaut toute une contrée. Il faut que, à défaut du czar, le grand-duc son frère tombe entre tes mains.

— Il sera fait ainsi, Ivan, répondit Féofar.

— Quels sont tes ordres, *Takhsir*?

— Aujourd'hui même, notre quartier général sera transporté à Tomsk.

Ivan Ogareff s'inclina, et, suivi du *housch-bégui*[1], il se retira pour faire exécuter les ordres de l'émir. Au

1. Porteur du sceau royal.

moment où il allait monter à cheval, afin de regagner les avant-postes, un certain tumulte se produisit à quelque distance, dans la partie du camp affectée aux prisonniers. Des cris se firent entendre, et deux ou trois coups de fusil éclatèrent. Ivan Ogareff et le *housch-bégui* firent quelques pas en avant, et, presque aussitôt, deux hommes, que des soldats ne pouvaient retenir, parurent devant eux.

Le *housch-bégui*, sans plus d'information, fit un geste qui était un ordre de mort, et la tête de ces deux prisonniers allait rouler à terre, lorsque Ivan Ogareff dit quelques mots qui arrêtèrent le sabre déjà levé sur eux.

Le Russe avait reconnu que ces prisonniers étaient étrangers, et il donna l'ordre qu'on les lui amenât. C'étaient Harry Blount et Alcide Jolivet.

Dès l'arrivée d'Ivan Ogareff au camp, ils avaient demandé à être conduits en sa présence. Les soldats avaient refusé. De là, lutte, tentative de fuite, coups de fusil qui n'atteignirent heureusement point les deux journalistes, mais leur exécution ne se fût point fait attendre, n'eût été l'intervention du lieutenant de l'émir.

— Qui êtes-vous, messieurs? demanda-t-il en russe d'un ton très froid, mais exempt de sa rudesse habituelle.

— Deux correspondants de journaux anglais et français, répondit laconiquement Harry Blount.

— Vous avez sans doute des papiers qui vous permettent d'établir votre identité?

– Voici des lettres qui nous accréditent en Russie près des chancelleries anglaise et française.

Ivan Ogareff prit les lettres que lui tendait Harry Blount, et il les lut avec attention. Puis:

– Vous demandez, dit-il, l'autorisation de suivre nos opérations militaires en Sibérie?

– Nous demandons à être libres, voilà tout, répondit sèchement le correspondant anglais.

– Vous l'êtes, messieurs, répondit Ivan Ogareff, et je serai curieux de lire vos chroniques dans le *Daily Telegraph*.

– Monsieur, répliqua Harry Blount avec le flegme le plus imperturbable, c'est six pence le numéro, les frais de poste en sus.

Et, là-dessus, Harry Blount se retourna vers son compagnon, qui parut approuver complètement sa réponse.

Ivan Ogareff ne sourcilla pas, et, enfourchant son cheval, il prit la tête de son escorte et disparut bientôt dans un nuage de poussière.

– Et maintenant, demanda Harry Blount, qu'est-ce que nous allons faire de notre liberté?

– En abuser, parbleu! répondit Alcide Jolivet, et aller tranquillement à Tomsk voir ce qui s'y passe.

Cependant, l'arrivée d'Ivan Ogareff, qui venait de rendre à la liberté Alcide Jolivet et Harry Blount, était au contraire un grave péril pour Michel Strogoff. Que le hasard vînt à mettre le courrier du czar en présence d'Ivan Ogareff, celui-ci ne pourrait manquer de le reconnaître pour le voyageur qu'il avait si brutalement traité au relais d'Ichim.

Là était le côté fâcheux de la présence d'Ivan Ogareff. Toutefois, une conséquence heureuse de son arrivée, ce fut l'ordre qui fut donné de lever le camp le jour même et de transporter à Tomsk le quartier général.

Alcide Jolivet et Harry Blount, ayant acheté des chevaux, avaient déjà pris la route de Tomsk, où la logique des événements allait réunir les principaux personnages de cette histoire.

Au nombre des prisonniers amenés par Ivan Ogareff au camp tartare, était une vieille femme que sa taciturnité même semblait mettre à part au milieu de toutes celles qui partageaient son sort. Pas une plainte ne sortait de ses lèvres. On eût dit une statue de la douleur. Cette femme, presque toujours immobile, plus étroitement gardée qu'aucune autre, était, sans qu'elle parût s'en douter ou s'en soucier, observée par la tsigane Sangarre. Malgré son âge, elle avait dû suivre à pied le convoi des prisonniers, sans qu'aucun adoucissement eût été apporté à ses misères.

Toutefois, quelque providentiel dessein avait placé à ses côtés un être courageux, charitable, fait pour la comprendre et l'assister. Parmi ses compagnes d'infortune, une jeune fille, remarquable par sa beauté, semblait s'être donné la tâche de veiller sur elle. Au milieu de cette foule d'infortunés, aigris par les souffrances, ce groupe silencieux de deux femmes, dont l'une semblait être l'aïeule, l'autre la petite-fille, imposait à tous une sorte de respect.

Nadia, après avoir été enlevée par les éclaireurs tartares sur les barques de l'Irtych, avait été conduite à Omsk. Retenue prisonnière dans la ville, elle partagea le sort de tous ceux que la colonne d'Ivan Ogareff avait capturés jusqu'alors, et, par conséquent, celui de Marfa Strogoff.

Durant ces quelques jours, qui leur parurent longs comme des siècles, la vieille femme et la jeune fille – il le semblait du moins – auraient dû être amenées à causer de leur situation réciproque. Mais Marfa Strogoff, par une circonspection facile à comprendre, n'avait parlé, et encore avec une grande brièveté, que d'elle-même. Elle n'avait fait aucune allusion ni à son fils ni à la funeste rencontre qui les avait mis face à face.

Nadia, elle aussi, fut longtemps, sinon muette, du moins sobre de toute parole inutile. Cependant, un jour, sentant qu'elle avait devant elle une âme simple et haute, son cœur avait débordé, et elle avait raconté, sans en rien cacher, tous les événements qui s'étaient accomplis depuis son départ de Wladimir jusqu'à la mort de Nicolas Korpanoff. Ce qu'elle dit de son jeune compagnon intéressa vivement la vieille Sibérienne.

– Nicolas Korpanoff! dit-elle. Parle-moi encore de ce Nicolas! Je ne sais qu'un homme, un seul parmi la jeunesse de ce temps, dont une telle conduite ne m'eût pas étonnée! Nicolas Korpanoff, était-ce bien son nom? En es-tu sûre, ma fille?

— Pourquoi m'aurait-il trompée sur ce point, répondit Nadia, lui qui ne m'a trompée sur aucun autre?

— Tu m'as dit qu'il était intrépide, ma fille! Tu m'as prouvé qu'il l'avait été! dit-elle.

— Oui, intrépide! répondit Nadia.

«C'est bien ainsi qu'eût été mon fils», se répétait Marfa Strogoff à part elle. Puis elle reprenait:

— Tu m'as dit encore que rien ne l'arrêtait, que rien ne l'étonnait, qu'il était si doux dans sa force même, que tu avais une sœur aussi bien qu'un frère en lui, et qu'il a veillé sur toi comme une mère?

— Oui, oui! dit Nadia. Frère, sœur, mère, il a été tout pour moi!

— Et aussi un lion pour te défendre?

— Un lion, en vérité! répondit Nadia. Oui, un lion, un héros!

«Mon fils, mon fils!» pensait la vieille Sibérienne.

— Mais tu dis, cependant, qu'il a supporté un terrible affront dans cette maison de poste d'Ichim?

— Il l'a supporté! répondit Nadia en baissant la tête. La vieille femme se tut un instant.

— Il était grand? demanda-t-elle.

— Très grand.

— Et très beau, n'est-ce pas? Allons, parle, ma fille.

— Il était très beau, répondit Nadia toute rougissante.

– C'était mon fils! Je te dis que c'était mon fils! s'écria la vieille femme en embrassant Nadia.

Tout s'était expliqué ainsi pour la vieille Sibérienne, tout, jusqu'à l'inexplicable conduite de son fils à son égard, dans l'auberge d'Omsk, en présence des témoins de leur rencontre. Il n'y avait plus à douter que le compagnon de la jeune fille n'eût été Michel Strogoff, et qu'une mission secrète, quelque importante dépêche à porter à travers la contrée envahie, ne l'obligeât à cacher sa qualité de courrier du czar.

«Ah! mon brave enfant, pensa Marfa Strogoff. Non! Je ne te trahirai pas, et les tortures ne m'arracheront jamais l'aveu que c'est bien toi que j'ai vu à Omsk!»

Marfa Strogoff aurait pu, d'un mot, payer Nadia de tout son dévouement pour elle. Elle aurait pu lui apprendre que son compagnon, Nicolas Korpanoff, ou plutôt Michel Strogoff, n'avait pas péri dans les eaux de l'Irtych, puisque c'était quelques jours après cet incident qu'elle l'avait rencontré, qu'elle lui avait parlé!…

Mais elle se contint, elle se tut, et se borna à dire:

– Espère, mon enfant! Le malheur ne s'acharnera pas toujours sur toi! Tu reverras ton père, j'en ai le pressentiment, et, peut-être, celui qui te donnait le nom de sœur n'est-il pas mort! Espère, ma fille! Espère! Fais comme moi! Le deuil que je porte n'est pas encore celui de mon fils!

CHAPITRE III

Coup pour coup

Les prisonniers amenés par Ivan Ogareff avaient été réunis à ceux que l'émir gardait déjà au camp tartare. Ces malheureux, Russes ou Sibériens, militaires ou civils, étaient au nombre de quelques milliers, et ils formaient une colonne qui s'étendait sur une longueur de plusieurs verstes. Parmi eux, il en était qui, considérés comme plus dangereux, avaient été attachés par des menottes à une longue chaîne. Il y avait aussi des femmes, des enfants, liés ou suspendus aux pommeaux des selles, et impitoyablement traînés sur les routes! On les poussait tous comme un bétail humain. Les cavaliers qui les escortaient les obligeaient à garder un certain ordre, et il n'y avait de retardataires que ceux qui tombaient pour ne plus se relever.

De cette disposition, il était résulté ceci: c'est que Michel Strogoff, rangé dans les premiers rangs de ceux qui avaient quitté le camp tartare, c'est-à-dire parmi les prisonniers de Kolyvan, ne devait pas être mêlé aux prisonniers venus d'Omsk en dernier lieu. Il ne pouvait donc soupçonner dans ce convoi la présence de sa mère et de Nadia, pas plus que celles-ci ne pouvaient soupçonner la sienne.

Ce voyage, du camp à Tomsk, fait dans ces conditions, sous le fouet des soldats, fut mortel pour un grand nombre, terrible pour tous. On allait à travers la steppe, sur une route rendue plus poussiéreuse encore par le passage de l'émir et de son avant-garde. Ordre avait été donné de marcher vite. Les haltes, très courtes, étaient rares. Ces cent cinquante verstes à franchir sous un soleil ardent, si rapidement qu'elles fussent parcourues, devaient sembler interminables !

Enfin, le 15 août, à la tombée du jour, le convoi atteignit la petite bourgade de Zabédiero, à une trentaine de verstes de Tomsk. En cet endroit, la route rejoignait le cours du Tom.

Cette nuit-là tout entière, les prisonniers devaient camper sur les bords du Tom. L'émir, en effet, avait remis au lendemain l'installation de ses troupes à Tomsk. Il avait été décidé qu'une fête militaire marquerait l'inauguration du quartier général tartare dans cette importante cité. Féofar-Khan en occupait déjà la forteresse, mais le gros de son armée bivouaquait sous les murs, attendant le moment d'y faire une entrée solennelle.

Ivan Ogareff avait laissé l'émir à Tomsk, où tous deux étaient arrivés la veille, et il était revenu au campement de Zabédiero. C'est de ce point qu'il devait partir le lendemain avec l'arrière-garde de l'armée tartare. Une maison avait été disposée pour qu'il pût y passer la nuit. Au soleil levant, sous son commandement, cavaliers et fantassins se dirigeraient sur Tomsk, où l'émir voulait les recevoir avec la pompe habituelle aux souverains asiatiques.

Dès que la halte eut été organisée, les prisonniers, brisés par ces trois jours de voyage, en proie à une soif ardente, purent se désaltérer enfin et prendre un peu de repos.

Le soleil était déjà couché, mais l'horizon s'éclairait encore des lueurs crépusculaires, lorsque Nadia, soutenant Marfa Strogoff, arriva sur les bords du Tom. Toutes deux n'avaient pu, jusqu'alors, percer les rangs de ceux qui encombraient la berge, et elles venaient boire à leur tour.

La vieille Sibérienne se pencha sur ce courant frais, et Nadia, y plongeant sa main, la porta aux lèvres de Marfa. Puis elle se rafraîchit à son tour. Ce fut la vie que la vieille femme et la jeune fille retrouvèrent dans ces eaux bienfaisantes.

Soudain, Nadia, au moment de quitter la rive, se redressa. Un cri involontaire venait de lui échapper.

Michel Strogoff était là, à quelques pas d'elle! C'était lui!... Les dernières lueurs du jour l'éclairaient encore!

Au cri de Nadia, Michel Strogoff avait tressailli... Mais il eut assez d'empire sur lui-même pour ne pas prononcer un mot qui pût le compromettre.

Et cependant, en même temps que Nadia, il avait reconnu sa mère!...

Michel Strogoff, à cette rencontre inattendue, ne se sentant plus maître de lui, porta la main à ses yeux et s'éloigna aussitôt.

Nadia s'était élancée instinctivement pour le

rejoindre, mais la vieille Sibérienne lui murmura ces mots à l'oreille:

— Reste, ma fille!

— C'est lui! répondit Nadia d'une voix coupée par l'émotion. Il vit, mère! C'est lui!

— C'est mon fils, répondit Marfa Strogoff, c'est Michel Strogoff, et tu vois que je ne fais pas un pas vers lui! Imite-moi, ma fille!

Michel Strogoff venait d'éprouver l'une des plus violentes émotions qu'il soit donné à un homme de ressentir. Sa mère et Nadia étaient là. Ces deux prisonnières, qui se confondaient presque dans son cœur, Dieu les avait poussées l'une vers l'autre en cette commune infortune! Nadia savait-elle donc qui il était? Non, car il avait vu le geste de Marfa Strogoff, la retenant au moment où elle allait s'élancer vers lui! Marfa Strogoff avait donc tout compris et gardé son secret.

Michel Strogoff pouvait donc espérer que cette nouvelle rencontre au campement de Zabédiero n'aurait de conséquence fâcheuse, ni pour sa mère, ni pour lui. Mais il ne savait pas que certains détails de cette scène, si rapidement qu'elle se fût passée, venaient d'être surpris par Sangarre, l'espionne d'Ivan Ogareff.

La tsigane était là, à quelques pas, sur la berge, épiant comme toujours la vieille Sibérienne, et sans que celle-ci s'en doutât. Elle n'avait pu apercevoir Michel Strogoff, qui avait déjà disparu lorsqu'elle se retourna ; mais le geste de la mère, retenant Nadia, ne lui avait pas échappé, et un éclair des yeux de Marfa venait de tout lui apprendre.

Il était désormais hors de doute que le fils de Marfa Strogoff, le courrier du czar, se trouvait en ce moment à Zabédiero, au nombre des prisonniers d'Ivan Ogareff !

La tsigane n'eut donc plus qu'une pensée : prévenir Ivan Ogareff. Elle quitta donc aussitôt le campement.

Un quart d'heure après, elle arrivait à Zabédiero et était introduite dans la maison qu'occupait le lieutenant de l'émir. Ivan Ogareff reçut immédiatement la tsigane.

— Que me veux-tu, Sangarre ? lui demanda-t-il.

— Le fils de Marfa Strogoff est au campement, répondit Sangarre.

— Prisonnier ?

— Je ne l'ai pas vu, mais j'ai vu sa mère se trahir par un mouvement qui m'a tout appris.

— Tu sais l'importance que j'attache à l'arrestation de ce courrier, dit Ivan Ogareff. Si la lettre qui lui a été remise à Moscou parvient à Irkoutsk, si elle est remise au grand-duc, le grand-duc sera sur ses gardes, et je ne pourrai arriver à lui ! Cette lettre, il me la faut donc à tout prix ! Or tu viens me dire que le porteur de cette lettre est en mon pouvoir ! Je te le répète, San- garre, ne te trompes-tu pas ?

— Je ne me trompe pas, Ivan.

— Mais, Sangarre, il y a au campement plusieurs

milliers de prisonniers, et tu dis que tu ne connais pas Michel Strogoff!

— Non, répondit la tsigane, dont le regard s'imprégna d'une joie sauvage, je ne le connais pas, moi, mais sa mère le connaît! Ivan, il faudra faire parler sa mère!

— Demain, elle parlera! s'écria Ivan Ogareff.

Le lendemain 16 août, vers dix heures du matin, d'éclatantes fanfares retentirent à la lisière du campement. Les soldats tartares se mirent immédiatement sous les armes.

Ivan Ogareff, après avoir quitté Zabédiero, arrivait au milieu d'un nombreux état-major d'officiers tartares. Son visage était plus sombre que d'habitude, et ses traits contractés indiquaient en lui une sourde colère, qui ne cherchait qu'une occasion d'éclater.

Le silence se fit aussitôt, et, sur un signe d'Ivan Ogareff, Sangarre se dirigea vers le groupe au milieu duquel se tenait Marfa Strogoff.

La vieille Sibérienne la vit venir. Elle comprit ce qui allait se passer. Un sourire dédaigneux apparut sur ses lèvres. Puis, se penchant vers Nadia, elle lui dit à voix basse:

— Tu ne me connais plus, ma fille! Quoi qu'il arrive, et si dure que puisse être cette épreuve, pas un mot, pas un geste! C'est de lui et non de moi qu'il s'agit!

À ce moment, Sangarre, après l'avoir regardée un

instant, mit sa main sur l'épaule de la vieille Sibérienne.

– Que me veux-tu ? dit Marfa Strogoff.

– Viens ! répondit Sangarre.

Et, la poussant de la main, elle la conduisit, au milieu de l'espace réservé, devant Ivan Ogareff.

Marfa Strogoff, arrivée en face d'Ivan Ogareff, redressa sa taille, croisa ses bras et attendit.

– Tu es bien Marfa Strogoff ? lui demanda Ivan Ogareff.

– Oui, répondit la vieille Sibérienne avec calme.

– Reviens-tu sur ce que tu m'as répondu lorsque, il y a trois jours, je t'ai interrogée à Omsk ?

– Non.

– Ainsi, tu ignores que ton fils, Michel Strogoff, courrier du czar, a passé à Omsk ?

– Je l'ignore.

– Et l'homme que tu avais cru reconnaître pour ton fils au relais de poste, ce n'était pas lui, ce n'était pas ton fils ?

– Ce n'était pas mon fils.

– Et depuis, tu ne l'as pas vu au milieu de ces prisonniers ?

– Non.

– Et si l'on te le montrait, le reconnaîtrais-tu ?

– Non.

À cette réponse, qui dénotait une inébranlable résolution de ne rien avouer, un murmure se fit entendre dans la foule.

Ivan Ogareff ne put retenir un geste menaçant.

— Écoute, dit-il à Marfa Strogoff, ton fils est ici, et tu vas immédiatement le désigner.

— Non.

— Tous ces hommes, pris à Omsk et à Kolyvan, vont défiler sous tes yeux, et si tu ne désignes pas Michel Strogoff, tu recevras autant de coups de knout qu'il sera passé d'hommes devant toi !

Sur l'ordre d'Ivan Ogareff, les prisonniers défilèrent un à un devant Marfa Strogoff, qui resta immobile comme une statue et dont le regard n'exprima que la plus complète indifférence.

Son fils se trouvait dans les derniers rangs. Quand, à son tour, il passa devant sa mère, Nadia ferma les yeux pour ne pas voir !

Michel Strogoff était demeuré impassible en apparence, mais la paume de ses mains saigna sous ses ongles, qui s'y étaient incrustés.

Ivan Ogareff était vaincu par le fils et la mère ! Sangarre, placée près de lui, ne dit qu'un mot :

— Le knout !

— Oui ! s'écria Ivan Ogareff, qui ne se possédait plus, le knout à cette vieille coquine, et jusqu'à ce qu'elle meure !

Un soldat tartare, portant ce terrible instrument de supplice, s'approcha de Marfa Strogoff.

Le knout se compose d'un certain nombre de lanières de cuir, à l'extrémité desquelles sont attachés des fils de fer tordus. On estime qu'une condamnation à cent vingt coups de ce fouet équivaut à une condamnation à mort. Marfa Strogoff le savait, mais elle savait aussi qu'aucune torture ne la ferait parler, et elle avait fait le sacrifice de sa vie.

Marfa Strogoff, saisie par deux soldats, fut jetée à genoux sur le sol. Sa robe, déchirée, montra son dos à nu. Un sabre fut posé devant sa poitrine, à quelques pouces seulement. Au cas où elle eût fléchi sous la douleur, sa poitrine était percée de cette pointe aiguë.

Le Tartare se tint debout. Il attendait.

— Va! dit Ivan Ogareff.

Le fouet siffla dans l'air...

Mais, avant qu'il eût frappé, une main puissante l'avait arraché à la main du Tartare. Michel Strogoff était là! Il avait bondi devant cette horrible scène! Si, au relais d'Ichim, il s'était contenu lorsque le fouet d'Ivan Ogareff l'avait atteint, ici, devant sa mère qui allait être frappée, il n'avait pu se maîtriser

Ivan Ogareff avait réussi.

— Michel Strogoff! s'écria-t-il.

Puis, s'avançant:

— Ah! fit-il, l'homme d'Ichim?

— Lui-même! dit Michel Strogoff.

Et, levant le knout, il en déchira la figure d'Ivan Ogareff.

— Coup pour coup! dit-il.

Vingt soldats se jetèrent sur Michel Strogoff, et ils allaient le tuer...

Mais, Ivan Ogareff, auquel un cri de rage et de douleur avait échappé, les arrêta d'un geste.

— Cet homme est réservé à la justice de l'émir ! dit-il. Qu'on le fouille !

La lettre aux armes impériales fut trouvée sur la poitrine de Michel Strogoff, qui n'avait pas eu le temps de la détruire, et on la remit à Ivan Ogareff.

Cette lettre, Ivan Ogareff, après avoir étanché le sang qui lui couvrait le visage, en avait brisé le cachet. Il la lut et la relut longuement, comme s'il eût voulu se bien pénétrer de tout ce qu'elle contenait.

Puis, après avoir donné ses ordres pour que Michel Strogoff, étroitement garrotté, fût dirigé sur Tomsk avec les autres prisonniers, il prit le commandement des troupes campées à Zabédiero, et, au bruit assourdissant des tambours et des trompettes, il se dirigea vers la ville, où l'attendait l'émir.

CHAPITRE IV

L'entrée triomphale

C'était à Tomsk que l'émir allait recevoir ses troupes victorieuses. Une fête avec chants, danses et fantasias, et suivie de quelque bruyante orgie, devait être donnée en leur honneur.

Au pied des terrasses abritées sous les étendards et les oriflammes, veillaient les gardes particuliers de l'émir, double sabre recourbé au flanc, poignard à la ceinture, lance longue de dix pieds au poing.

Tout autour, jusqu'aux arrière-plans de ce vaste plateau, sur les talus escarpés dont le Tom baignait la base, se massait une foule cosmopolite, composée de tous les éléments indigènes de l'Asie centrale. Seuls, les Sibériens manquaient à cette réception des envahisseurs. Ceux qui n'avaient pu fuir étaient confinés dans leurs maisons, avec la crainte du pillage que Féofar-Khan allait peut-être ordonner, pour terminer dignement cette cérémonie triomphale.

Ce fut à quatre heures seulement que l'émir fit son entrée sur la place, au bruit des fanfares, des coups de tam-tam, des décharges d'artillerie et de mousqueterie.

Féofar montait son cheval favori, qui portait sur la tête une aigrette de diamant. L'émir avait conservé son costume de guerre. À ses côtés marchaient les khans de Khokand et de Koundouz, les grands dignitaires des khanats, et il était accompagné d'un nombreux état-major.

À ce moment apparut sur la terrasse la première des femmes de Féofar, la reine, si cette qualification pouvait être donnée aux sultanes des États de Boukharie. Mais, reine ou esclave, cette femme, d'origine persane, était admirablement belle. Contrairement à la coutume mahométane et par un caprice de l'émir sans doute, elle avait le visage découvert.

L'émir et les khans mirent pied à terre, ainsi que les dignitaires qui leur faisaient cortège. Tous prirent place sous une tente magnifique, élevée au centre de la première terrasse. Devant la tente, comme toujours, le Coran était déposé sur la table sacrée.

Le lieutenant de Féofar ne se fit pas attendre, et avant cinq heures, d'éclatantes fanfares annoncèrent son arrivée.

Ivan Ogareff – le Balafré, comme on le nommait déjà –, portant, cette fois, l'uniforme d'officier tartare, arriva à cheval devant la tente de l'émir. Il était accompagné d'une partie des soldats du camp de Zabédiero, qui se rangèrent sur les côtés de la place, au milieu de laquelle il ne resta plus que l'espace réservé aux divertissements. On voyait un large stigmate qui coupait obliquement la figure du traître.

Ivan Ogareff présenta à l'émir ses principaux officiers, et Féofar-Khan, sans se départir de la froideur qui faisait le fond de sa dignité, les accueillit de façon qu'ils fussent satisfaits de son accueil.

Ce fut ainsi du moins que l'interprétèrent Harry Blount et Alcide Jolivet, les deux inséparables, associés maintenant pour la chasse aux nouvelles. Après avoir quitté Zabédiero, ils avaient rapidement gagné Tomsk. Leur projet bien arrêté était de fausser compagnie aux Tartares, de rejoindre au plus tôt quelque corps russe, et, si cela était possible, de se jeter avec lui dans Irkoutsk. Ce qu'ils avaient vu de l'invasion, de ces incendies, de ces pillages, de ces meurtres, les avait profondément écœurés, et ils avaient hâte d'être dans les rangs de l'armée sibérienne.

Mais une pénible cérémonie allait précéder les divertissements.

En effet, le triomphe du vainqueur ne pouvait être complet sans l'humiliation publique des vaincus. C'est pourquoi plusieurs centaines de prisonniers furent amenés sous le fouet des soldats. Ils étaient destinés à défiler devant Féofar-Khan et ses alliés, avant d'être entassés avec leurs compagnons dans les prisons de la ville.

Parmi ces prisonniers figurait au premier rang Michel Strogoff. Conformément aux ordres d'Ivan Ogareff, il était spécialement gardé par un peloton de soldats. Sa mère et Nadia étaient là aussi.

Et, de son côté, Michel Strogoff pensait que si sa mère était là, si Ivan Ogareff l'avait mise en sa présence, c'était pour qu'elle souffrît de son propre supplice, peut-être aussi parce que quelque épouvantable mort lui était réservée, à elle comme à lui!

Quant à Nadia, elle se demandait ce qu'elle pourrait faire pour les sauver l'un et l'autre, comment venir en aide au fils et à la mère. Elle ne savait qu'imaginer, mais elle sentait vaguement qu'elle devait avant tout éviter d'attirer l'attention sur elle, qu'il fallait se dissimuler, se faire petite!

Cependant, la plupart des prisonniers venaient de passer devant l'émir, et, en passant, chacun d'eux avait dû se prosterner, le front dans la poussière, en signe de servilité. C'était l'esclavage qui commençait par l'humiliation! Lorsque ces infortunés étaient trop lents à se courber, la rude main des gardes les jetait violemment à terre.

Michel Strogoff fut alors amené devant l'émir, et là, il resta debout, sans baisser les yeux.

— Le front à terre! lui cria Ivan Ogareff.

— Non! répondit Michel Strogoff.

Deux gardes voulurent le contraindre à se courber, mais ce furent eux qui furent couchés sur le sol par la main du robuste jeune homme.

Ivan Ogareff s'avança vers Michel Strogoff.

— Tu vas mourir! dit-il.

— Je mourrai, répondit fièrement Michel Strogoff, mais ta face de traître, Ivan, n'en portera pas moins et à jamais la marque infamante du knout!

Ivan Ogareff, à cette réponse, pâlit affreusement.

— Quel est ce prisonnier? demanda l'émir de cette voix qui était d'autant plus menaçante qu'elle était calme.

— Un espion russe, répondit Ivan Ogareff.

En faisant de Michel Strogoff un espion, il savait que la sentence prononcée contre lui serait terrible.

L'émir fit alors un geste devant lequel se courba toute la foule. Puis, il désigna de la main le Coran, qui lui fut apporté. Il ouvrit le livre sacré et posa son doigt sur une des pages.

C'était le hasard, ou plutôt, dans la pensée de ces Orientaux, Dieu même qui allait décider du sort de Michel Strogoff.

L'émir avait laissé son doigt appuyé sur la page du

Coran. Le chef des *ulémas*[1], s'approchant alors, lut à haute voix un verset qui se terminait par ces mots : « *Et il ne verra plus les choses de la terre.* »

— Espion russe, dit Féofar-Khan, tu es venu pour voir ce qui se passe au camp tartare ! Regarde donc de tous tes yeux, regarde !

CHAPITRE V

« Regarde de tous tes yeux, regarde ! »

Sans doute, Ivan Ogareff, au courant des mœurs tartares, avait compris la portée de cette parole, car ses lèvres s'étaient un instant desserrées dans un cruel sourire. Puis, il avait été se placer auprès de Féofar-Khan.

Un appel de trompettes se fit aussitôt entendre. C'était le signal des divertissements.

— Voilà le ballet, dit Alcide Jolivet à Harry Blount, mais, contrairement à tous les usages, ces barbares le donnent avant le drame !

Michel Strogoff avait ordre de regarder. Il regarda. Une nuée de danseuses fit alors irruption sur la place.

Ces ballerines exécutèrent très gracieusement des danses variées, tantôt isolées, tantôt par groupes. Elles avaient le visage découvert, mais, de temps en temps,

1. Le représentant des prêtres.

elles ramenaient un voile léger sur leur figure, et on eût dit qu'un nuage de gaze passait sur tous ces yeux éclatants, comme une vapeur sur un ciel constellé.

Lorsque ce premier divertissement fut achevé, une voix grave se fit entendre qui disait :

— Regarde de tous tes yeux, regarde !

L'homme qui répétait les paroles de l'émir, Tartare de haute taille, était l'exécuteur des hautes œuvres de Féofar-Khan. Il avait pris place derrière Michel Strogoff et tenait à la main un sabre à large lame courbe, une de ces lames damassées qui ont été trempées par les célèbres armuriers de Karschi ou d'Hissar.

Près de lui, des gardes avaient apporté un trépied sur lequel reposait un réchaud où brûlaient, sans donner aucune fumée, quelques charbons ardents. La buée légère qui les couronnait n'était due qu'à l'incinération d'une substance résineuse et aromatique, mélange d'oliban et de benjoin, que l'on projetait à leur surface.

Cependant, aux Persanes avait immédiatement succédé un autre groupe de ballerines, de race très différente, que Michel Strogoff reconnut aussitôt.

Et il faut croire que les deux journalistes les reconnaissaient aussi, car Harry Blount dit à son confrère :

— Ce sont les tsiganes de Nijni-Novgorod !

Alcide Jolivet ne put retenir un léger mouvement de tête qui, entre le boulevard Montmartre et la Madeleine, eût voulu dire : «Pas mal ! pas mal !»

Puis, soudain, comme à un signal, les danses cessèrent, les ballerines disparurent. La cérémonie était terminée, et les torches seulement éclairaient ce plateau, quelques instants auparavant si plein de lumières.

Sur un signe de l'émir, Michel Strogoff fut amené au milieu de la place.

— Blount, dit Alcide Jolivet à son compagnon, est-ce que vous tenez à voir la fin de tout cela?

— Pas le moins du monde, répondit Harry Blount.

— Vos lecteurs du *Daily Telegraph* ne sont pas friands, je l'espère, des détails d'une exécution à la mode tartare?

— Pas plus que votre cousine.

— Pauvre garçon! ajouta Alcide Jolivet, en regardant Michel Strogoff. Le vaillant soldat eût mérité de tomber sur le champ de bataille!

— Pouvons-nous faire quelque chose pour le sauver? dit Harry Blount.

— Nous ne pouvons rien.

Peu désireux d'assister au supplice réservé à cet infortuné, ils rentrèrent donc dans la ville. Une heure plus tard, ils couraient sur la route d'Irkoutsk, et c'était parmi les Russes qu'ils allaient tenter de suivre ce qu'Alcide Jolivet appelait par anticipation la «campagne de la revanche».

Cependant, Michel Strogoff était debout, ayant le regard hautain pour l'émir, méprisant pour Ivan Ogareff. Il s'attendait à mourir, et, cependant, on eût vainement cherché en lui un symptôme de faiblesse. L'émir fit un geste. Michel Strogoff, poussé par les gardes, s'approcha de la terrasse, et alors, dans cette langue tartare qu'il comprenait, Féofar lui dit :

— Tu es venu pour voir, espion des Russes. Tu as vu pour la dernière fois. Dans un instant, tes yeux seront à jamais fermés à la lumière !

Ce n'était pas de mort, mais de cécité, qu'allait être frappé Michel Strogoff. Perte de la vue, plus terrible peut-être que la perte de la vie ! Le malheureux était condamné à être aveuglé.

Cependant, en entendant la peine prononcée par l'émir, Michel Strogoff ne faiblit pas. Il demeura impassible, les yeux grands ouverts, comme s'il eût voulu concentrer toute sa vie dans un dernier regard.

Il se retourna vers Ivan Ogareff.

— Ivan, dit-il d'une voix menaçante, Ivan le traître, la dernière menace de mes yeux sera pour toi !

Ivan Ogareff haussa les épaules. Mais Michel Strogoff se trompait. Ce n'était pas en regardant Ivan Ogareff que ses yeux allaient pour jamais s'éteindre. Marfa Strogoff venait de se dresser devant lui.

— Ma mère ! s'écria-t-il. Oui ! oui ! à toi mon suprême regard, et non à ce misérable ! Reste là, devant moi ! Que je voie encore ta figure bien-aimée ! Que mes yeux se ferment en te regardant !…

Deux soldats repoussèrent Marfa Strogoff. Elle recula, mais resta debout, à quelques pas de son fils.

L'exécuteur parut. Cette fois, il tenait son sabre nu à la main, et ce sabre, chauffé à blanc, il venait de le retirer du réchaud où brûlaient les charbons parfumés.

Michel Strogoff allait être aveuglé suivant la coutume tartare, avec une lame ardente, passée devant ses yeux!

Michel Strogoff ne chercha pas à résister. Plus rien n'existait à ses yeux que sa mère, qu'il dévorait alors du regard! Toute sa vie était dans cette dernière vision!

Marfa Strogoff, l'œil démesurément ouvert, les bras tendus vers lui, le regardait!...

La lame incandescente passa devant les yeux de Michel Strogoff.

Un cri de désespoir retentit. La vieille Marfa tomba inanimée sur le sol!

Michel Strogoff était aveugle.

Ses ordres exécutés, l'émir se retira avec toute sa maison. Il ne resta bientôt plus sur cette place qu'Ivan Ogareff et les porteurs de torches.

Le misérable voulait-il donc insulter encore sa victime, et, après l'exécuteur, lui porter le dernier coup?

Ivan Ogareff s'approcha lentement de Michel Strogoff, qui le sentit venir et se redressa.

Ivan Ogareff tira de sa poche la lettre impériale, il l'ouvrit, et, par une suprême ironie, il la plaça devant les yeux éteints du courrier du czar, disant:

– Lis, maintenant, Michel Strogoff, lis, et va redire à Irkoutsk ce que tu auras lu! Le vrai courrier du czar, c'est Ivan Ogareff!

Cela dit, le traître serra la lettre sur sa poitrine. Puis,

sans se retourner, il quitta la place, et les porteurs de torches le suivirent.

Michel Strogoff resta seul, à quelques pas de sa mère, inanimée, peut-être morte. Il se traîna, en tâtonnant, vers l'endroit où sa mère était tombée. Puis, on eût dit qu'il lui parlait tout bas.

La vieille Marfa vivait-elle encore, et entendit-elle ce que lui dit son fils?

En tout cas, elle ne fit pas un mouvement.

Michel Strogoff baisa son front et ses cheveux blancs. Puis, il se releva, et, tâtant du pied, cherchant à tendre ses mains pour se guider, il marcha peu à peu vers l'extrémité de la place.

Soudain, Nadia parut. Elle alla droit à son compagnon. Un poignard qu'elle tenait servit à couper les cordes qui attachaient les bras de Michel Strogoff.

Celui-ci, aveugle, ne savait qui le déliait, car Nadia n'avait pas prononcé une parole. Mais cela fait:

— Frère! dit-elle.

— Nadia! murmura Michel Strogoff, Nadia!

— Viens, frère! répondit Nadia. Mes yeux seront tes yeux désormais, et c'est moi qui te conduirai à Irkoutsk!

CHAPITRE VI

Un ami de grande route

Une demi-heure après, Michel Strogoff et Nadia avaient quitté Tomsk.

La route d'Irkoutsk était la seule qui s'enfonçât dans l'est, il n'y avait pas à se tromper. Nadia entraîna rapidement Michel Strogoff. Il était possible que dès le lendemain, après quelques heures d'orgie, les éclaireurs de l'émir, se jetant de nouveau sur la steppe, coupassent toute communication. Il importait donc de les devancer, d'atteindre avant eux Krasnoïarsk, que cinq cents verstes (533 kilomètres) séparaient de Tomsk.

Comment Nadia put-elle supporter les fatigues de cette nuit du 16 au 17 août? Comment trouva-t-elle la force physique nécessaire à fournir une si longue étape? Comment ses pieds, saignant d'une marche forcée, purent-ils la porter jusque-là? C'est presque incompréhensible. Mais il n'en est pas moins vrai que le lendemain matin, douze heures après leur départ de Tomsk, Michel Strogoff et elle atteignaient le bourg de Sémilowskoï, après une course de cinquante verstes.

Michel Strogoff n'avait pas prononcé une seule parole. Ce n'était pas Nadia qui tenait sa main, ce fut lui qui tint celle de sa compagne pendant toute cette nuit; mais, grâce à cette main qui le guidait rien que par ses frémissements, il avait marché avec son allure ordinaire.

Sémilowskoï était presque entièrement abandonnée. Les habitants, redoutant les Tartares, avaient fui dans la province d'Ienisseïsk. À peine deux ou trois maisons étaient-elles encore occupées. Tout ce que la ville contenait d'utile ou de précieux avait été enlevé sur des charrettes.

Cependant, Nadia était dans la nécessité de faire là une halte de quelques heures. Il leur fallait à tous deux nourriture et repos.

La jeune fille conduisit donc son compagnon à l'extrémité de la bourgade. Une maison vide, la porte ouverte, était là. Ils y entrèrent. Un mauvais banc de bois se trouvait au milieu de la chambre, près de ce haut poêle commun à toutes les demeures sibériennes. Ils s'y assirent.

Nadia regarda alors bien en face son compagnon aveugle, et comme elle ne l'avait jamais regardé jusqu'alors. Il y avait plus que de la reconnaissance, plus que de la pitié dans son regard. Si Michel Strogoff avait pu la voir, il aurait lu dans ce beau regard désolé l'expression d'un dévouement et d'une tendresse infinis.

Les paupières de l'aveugle, rougies par la lame incandescente, recouvraient à demi ses yeux, absolument secs. La sclérotique en était légèrement plissée et comme racornie, la pupille singulièrement agrandie ; l'iris semblait d'un bleu plus foncé qu'il n'était auparavant ; les cils et les sourcils étaient en partie brûlés ; mais, en apparence du moins, le regard si pénétrant du

jeune homme ne semblait avoir subi aucun changement. S'il n'y voyait plus, si sa cécité était complète,
c'est que la sensibilité de la rétine et du nerf optique
avait été radicalement détruite par l'ardente chaleur de
l'acier. En ce moment, Michel Strogoff étendit les
mains.

— Tu es là, Nadia ? demanda-t-il.

— Oui, répondit la jeune fille, je suis près de toi, et
je ne te quitterai plus, Michel.

À son nom, prononcé par Nadia pour la première
fois, Michel Strogoff tressaillit. Il comprit que sa compagne savait tout, ce qu'il était, quels liens l'unissaient
à la vieille Marfa.

— Nadia, reprit-il, il va falloir nous séparer !

— Nous séparer ? Pourquoi cela, Michel ?

— Je ne veux pas être un obstacle à ton voyage ! Ton
père t'attend à Irkoutsk ! Il faut que tu rejoignes ton
père !

— Mon père me maudirait, Michel, si je t'aban-
donnais, après ce que tu as fait pour moi !

— Nadia ! Nadia ! répondit Michel Strogoff, en
pressant la main que la jeune fille avait posée sur la
sienne, tu ne dois penser qu'à ton père !

— Michel, reprit Nadia, tu as plus besoin de moi
que mon père ! Dois-tu donc renoncer à aller à
Irkoutsk ?

— Jamais ! s'écria Michel Strogoff d'un ton qui
montrait qu'il n'avait rien perdu de son énergie.

— Cependant, tu n'as plus cette lettre !…

— Cette lettre qu'Ivan Ogareff m'a volée!... Eh bien! je saurai m'en passer, Nadia! Ils m'ont traité comme un espion! J'agirai comme un espion! J'irai dire à Irkoutsk tout ce que j'ai vu, tout ce que j'ai entendu, et, j'en jure par le Dieu vivant, le traître me retrouvera un jour face à face! Mais il faut que j'arrive avant lui à Irkoutsk.

— Et tu parles de nous séparer, Michel?

— Nadia, les misérables m'ont tout pris!

— Il me reste quelques roubles, et mes yeux! Je puis y voir pour toi, Michel, et te conduire là où tu ne peux plus aller seul!

— Et comment irons-nous?

— À pied.

— Et comment vivrons-nous?

— En mendiant.

— Partons, Nadia!

— Viens, Michel.

Ils avaient quitté Sémilowskoï depuis deux heures environ, lorsque Michel Strogoff s'arrêta.

— La route est déserte? demanda-t-il.

— Absolument déserte, répondit Nadia.

— Est-ce que tu n'entends pas quelque bruit en arrière?

— En effet.

— Si ce sont les Tartares, il faut nous cacher. Regarde bien.

— Attends, Michel! répondit Nadia en remontant le chemin, qui se coudait à quelques pas sur la droite.

Michel Strogoff resta un instant seul, tendant l'oreille. Nadia revint presque aussitôt et dit :

— C'est une charrette.

La charrette arriva bientôt au tournant de la route. C'était un véhicule fort délabré, pouvant à la rigueur contenir trois personnes, ce qu'on appelle dans le pays une *kibitka*.

Un jeune homme la conduisait, ayant un chien près de lui.

Nadia reconnut que ce jeune homme était russe. Il avait une figure douce et flegmatique qui inspirait la confiance. D'ailleurs, il ne paraissait pas pressé le moins du monde. Il marchait d'un pas tranquille, pour ne pas surmener son cheval, et, à le voir, on n'eût jamais cru qu'il suivait une route que les Tartares pouvaient couper d'un moment à l'autre.

Nadia, tenant Michel Strogoff par la main, s'était rangée de côté. La *kibitka* s'arrêta, et le conducteur regarda la jeune fille en souriant.

— Et où donc allez-vous comme cela ? lui demanda-t-il en faisant de bons yeux tout ronds.

Au son de cette voix, Michel Strogoff se dit qu'il l'avait entendue quelque part. Et, sans doute, elle suffit à lui faire reconnaître le conducteur de la *kibitka*, car son front se rasséréna aussitôt.

— Eh bien, où donc allez-vous ? répéta le jeune homme, en s'adressant plus directement à Michel Strogoff.

— Nous allons à Irkoutsk, répondit celui-ci.

— Oh! petit père, tu ne sais donc pas qu'il y a encore bien des verstes et des verstes jusqu'à Irkoutsk?

— Je le sais.

— Et tu vas à pied?

— À pied.

— Toi, bien! mais la demoiselle?...

— C'est ma sœur, dit Michel Strogoff, qui jugea prudent de redonner ce nom à Nadia.

— Oui, ta sœur, petit père! Mais, crois-moi, elle ne pourra jamais atteindre Irkoutsk!

— Ami, répondit Michel Strogoff en s'approchant, les Tartares nous ont dépouillés, et je n'ai pas un kopeck à t'offrir; mais si tu veux prendre ma sœur près de toi, je suivrai ta voiture à pied, je courrai s'il le faut, je ne te retarderai pas d'une heure...

— Frère, s'écria Nadia... je ne veux pas... je ne veux pas! Monsieur, mon frère est aveugle!

— Aveugle! répondit le jeune homme d'une voix émue.

— Les Tartares lui ont brûlé les yeux! répondit Nadia, en tendant ses mains comme pour implorer la pitié.

— Brûlé les yeux? Oh! pauvre petit père! Moi, je vais à Krasnoïarsk. Eh bien, pourquoi ne monterais-tu pas avec ta sœur dans la *kibitka*? En nous serrant un peu, nous y tiendrons tous les trois. D'ailleurs, mon chien ne refusera pas d'aller à pied. Seulement, je ne vais pas vite, pour ménager mon cheval.

— Ami, comment te nommes-tu? demanda Michel Strogoff.

– Je me nomme Nicolas Pigassof.

– C'est un nom que je n'oublierai plus, répondit Michel Strogoff.

– Eh bien, monte, petit père aveugle. Ta sœur sera près de toi, au fond de la charrette, moi devant pour conduire. Il y a de la bonne écorce de bouleau et de la paille d'orge dans le fond. C'est comme un nid. Allons, Serko, fais-nous place!

Le chien descendit sans se faire prier. Michel Strogoff et Nadia, en un instant, furent installés dans la *kibitka*. La *kibitka* se remit en marche. Le cheval, que Nicolas ne frappait jamais, allait l'amble. Si Michel Strogoff ne devait pas gagner en rapidité, du moins de nouvelles fatigues seraient-elles épargnées à Nadia.

Et tel était l'épuisement de la jeune fille, que, bercée par le mouvement monotone de la *kibitka*, elle tomba bientôt dans un sommeil qui ressemblait à une complète prostration. Michel Strogoff et Nicolas la couchèrent sur le feuillage de bouleau du mieux qu'il leur fut possible. Le compatissant jeune homme était tout ému, et si pas une larme ne s'échappa des yeux de Michel Strogoff, en vérité, c'est parce que le fer incandescent avait brûlé la dernière!

– Dis-moi, ami, demanda Michel Strogoff, est-ce que tu ne m'as jamais vu quelque part?

– Toi, petit père? Non, jamais.

– C'est que le son de ta voix ne m'est pas inconnu.

– Voyez-vous! répondit Nicolas en souriant. Il connaît le son de ma voix! Peut-être me demandes-tu cela pour savoir d'où je viens. Oh! je vais te le dire. Je viens de Kolyvan.

— De Kolyvan? dit Michel Strogoff. Mais alors c'est là que je t'ai rencontré. Tu étais au poste télégraphique?

— Cela se peut, répondit Nicolas. J'y demeurais. J'étais l'employé chargé des transmissions.

— Et tu es resté à ton poste jusqu'au dernier moment?

— Eh! c'est surtout à ce moment-là qu'il faut y être!

— C'était le jour où un Anglais et un Français se disputaient, roubles en main, la place à ton guichet, et où l'Anglais a télégraphié les premiers versets de la Bible?

— Ça, petit père, c'est possible, mais je ne me le rappelle pas! Je ne lis jamais les dépêches que je transmets. Mon devoir étant de les oublier, le plus court est de les ignorer.

Cette réponse peignait Nicolas Pigassof.

CHAPITRE VII

Le passage de l'Ienisseï

Le 25 août, à la tombée du jour, la *kibitka* arrivait en vue de Krasnoïarsk. Le voyage depuis Tomsk avait duré huit jours. S'il ne s'était pas accompli plus rapidement, quoi qu'eût pu faire Michel Strogoff, cela tenait surtout à ce que Nicolas avait peu dormi. De là, impossibilité d'activer l'allure de son cheval, qui, en d'autres mains, n'eût mis que soixante heures à faire ce parcours.

Cependant, si Nicolas avait résolu de s'arrêter à Krasnoïarsk, c'était, comme il le dit, «à la condition d'y trouver un emploi».

En effet, cet employé modèle, après avoir tenu jusqu'à la dernière minute au poste de Kolyvan, cherchait à se mettre de nouveau à la disposition de l'administration.

— Pourquoi toucherais-je des appointements que je n'aurais pas gagnés? répétait-il.

Aussi, au cas où ses services ne pourraient pas être utilisés à Krasnoïarsk, qui devait toujours se trouver en communication télégraphique avec Irkoutsk, il se proposait d'aller soit au poste d'Oudinsk, soit même jusqu'à la capitale de la Sibérie. Donc, dans ce cas, il continuerait à voyager avec le frère et la sœur, et en qui trouveraient-ils un guide plus sûr, un ami plus dévoué?

La *kibitka* n'était plus qu'à une demi-verste de Krasnoïarsk. On voyait à droite et à gauche les nombreuses croix de bois qui se dressent sur le chemin aux approches de la ville. Il était sept heures du soir.

D'un léger coup de fouet, Nicolas stimula son cheval. Serko poussa quelques aboiements, et la *kibitka* descendit au petit trot la route qui s'engageait dans Krasnoïarsk. Dix minutes après, elle entrait dans la grande rue.

Krasnoïarsk était déserte!

Le dernier télégramme parti du cabinet du czar, avant la rupture du fil, avait donné ordre au gouverneur, à la garnison, aux habitants, quels qu'ils fussent, d'abandonner Krasnoïarsk, d'emporter tout objet ayant quelque valeur ou qui aurait pu être de quelque utilité aux Tartares, et de se réfugier à Irkoutsk.

Michel Strogoff, Nadia et Nicolas parcoururent silencieusement les rues de la ville. Ils éprouvaient une involontaire impression de stupeur. Eux seuls produisaient le seul bruit qui se fit alors dans cette cité morte.

— Bon Dieu! s'écria Nicolas, jamais je ne gagnerai mes appointements dans ce désert!

— Ami, dit Nadia, il faut reprendre avec nous la route d'Irkoutsk.

— Il le faut, en vérité! répondit Nicolas. Le fil doit encore fonctionner entre Oudinsk et Irkoutsk, et là… Partons-nous, petit père?

— Attendons à demain, répondit Michel Strogoff.

Michel Strogoff, Nadia et Nicolas n'eurent pas à chercher longtemps pour trouver un lieu de repos. La première maison dont ils poussèrent la porte était vide, aussi bien que toutes les autres. Il ne s'y trouvait que quelques bottes de feuillage. Faute de mieux, le cheval dut se contenter de cette maigre nourriture. Quant aux provisions de la *kibitka*, elles n'étaient pas épuisées, et chacun en prit sa part. Puis Nicolas et la jeune fille s'endormirent, tandis que veillait Michel Strogoff, sur qui le sommeil ne pouvait avoir prise.

Le lendemain, 26 août, avant l'aube, la *kibitka*, réattelée, traversait le parc de bouleaux pour atteindre la berge de l'Ienisseï.

Le jour commençait à se lever, lorsque la *kibitka* arriva sur la rive gauche, là même où aboutissait une des grandes allées du parc. En cet endroit, les berges dominaient d'une centaine de pieds le cours de l'Ienisseï. On pouvait donc l'observer sur une vaste étendue.

— Voyez-vous un bac ? demanda Michel Strogoff, en portant avidement ses yeux d'un côté et de l'autre, par une habitude machinale, sans doute, et comme s'il eût pu voir lui-même.

— Je n'en vois aucun, répondit Nicolas.

— Je me souviens, dit alors Michel Strogoff. Il y a plus haut, aux dernières maisons de Krasnoïarsk, un petit port d'embarquement. C'est là que les bacs accostent. Ami, remontons le cours du fleuve, et vois si quelque barque n'a pas été oubliée sur la rive.

Vingt minutes après, tous trois avaient atteint le petit port d'embarquement, dont les dernières maisons s'abaissaient au niveau du fleuve. C'était une sorte de village placé au bas de Krasnoïarsk.

Mais il n'y avait pas une embarcation sur la grève, pas un canot à l'estacade qui servait d'embarcadère, rien même dont on pût construire un radeau suffisant pour trois personnes.

On fouilla les quelques maisons assises sur la berge et abandonnées comme toutes celles de Krasnoïarsk.

Il n'y avait qu'à en pousser les portes. C'étaient des cabanes de pauvres gens, entièrement vides. Nicolas visitait l'une, Nadia parcourait l'autre. Michel Strogoff, lui-même, entrait çà et là et cherchait à reconnaître de la main quelque objet qui pût lui être utile.

Nicolas et la jeune fille, chacun de son côté, avaient vainement fureté dans ces cabanes, et ils se disposaient à abandonner leurs recherches, lorsqu'ils s'entendirent appeler.

Tous deux regagnèrent la berge et aperçurent Michel Strogoff sur le seuil d'une porte.

— Venez! leur cria-t-il.

Nicolas et Nadia allèrent aussitôt vers lui, et, à sa suite, ils entrèrent dans la cabane.

— Qu'est-ce que cela? demanda Michel Strogoff, en touchant de la main divers objets entassés au fond d'un cellier.

— Ce sont des outres, répondit Nicolas, et il y en a, ma foi, une demi-douzaine!

— Elles sont pleines?.. ·

— Oui, pleines de *koumyss*, et voilà qui vient à propos pour renouveler notre provision!

— Mets-en une à part, lui dit Michel Strogoff, mais vide toutes les autres.

— À l'instant, petit père.

— Voilà qui nous aidera à traverser l'Ienisseï.

— Et le radeau?

— Ce sera la *kibitka* elle-même, qui est assez légère

pour flotter. D'ailleurs, nous la soutiendrons, ainsi que le cheval, avec ces outres.

– À l'ouvrage, dit Nicolas, qui commença à vider les outres et à les transporter jusqu'à la *kibitka*.

Cet ouvrage fut bientôt achevé.

En cet endroit, la berge, assez déclive, était favorable au lancement de la *kibitka*. Le cheval la traîna jusqu'à la lisière des eaux, et bientôt l'appareil et son moteur flottèrent à la surface du fleuve. Quant à Serko, il s'était bravement mis à la nage.

Les trois passagers, debout sur la caisse, s'étaient déchaussés par précaution, mais, grâce aux outres, ils n'eurent pas même d'eau jusqu'aux chevilles.

Deux heures seulement après avoir quitté le port d'embarquement, la *kibitka* avait traversé le grand bras du fleuve et venait accoster la berge d'une île, à plus de six verstes au-dessous de son point de départ.

Là, le cheval remonta la charrette sur la rive, et une heure de repos fut donnée au courageux animal. Puis, l'île ayant été traversée dans toute sa largeur sous le couvert de ses magnifiques bouleaux, la *kibitka* se trouva au bord du petit bras de l'Ienisseï.

Cette traversée se fit plus facilement. Mais le courant était tellement rapide, que la *kibitka* n'accosta la rive droite qu'à cinq verstes en aval. C'était, en tout, onze verstes dont elle avait dérivé.

CHAPITRE VIII

Un lièvre qui traverse la route

Pour la première fois depuis la funeste rencontre d'Ivan Ogareff à Omsk, le courrier du czar se sentit moins inquiet et put espérer qu'aucun nouvel obstacle ne surgirait entre le but et lui.

La *kibitka*, après être redescendue obliquement vers le sud-est pendant une quinzaine de verstes, retrouva et reprit la longue voie tracée à travers la steppe.

La route était bonne, et même cette portion du chemin, qui s'étend entre Krasnoïarsk et Irkoutsk, est considérée comme la meilleure de tout le parcours.

Michel Strogoff avait pu obtenir de Nicolas qu'il imprimât à son cheval une allure plus rapide. Pour arriver à ce résultat, il lui avait confié que Nadia et lui allaient rejoindre leur père, exilé à Irkoutsk, et qu'ils avaient grande hâte d'être rendus.

De tout cela, il était résulté que la *kibitka* marchait plus vite. Il s'ensuit donc que, le 28 août, les voyageurs dépassaient le bourg de Balaisk, à quatre-vingts verstes de Krasnoïarsk, et le 29, celui de Ribinsk, à quarante verstes de Balaisk.

Le lendemain, trente-cinq verstes au-delà, elle arrivait à Kamsk, bourgade plus considérable, arrosée par la rivière du même nom, petit affluent de l'Ienisseï, qui descend des monts Sayan.

De Kamsk à la bourgade prochaine, l'étape fut très

longue, environ cent trente verstes. Il va sans dire que les haltes réglementaires furent observées, «sans quoi, disait Nicolas, on se serait attiré quelque juste réclamation de la part du cheval».

Après avoir franchi la petite rivière de Biriousa, la *kibitka* atteignit Biriousinsk dans la matinée du 4 septembre.

Après une halte convenable, la route fut reprise dans l'après-dîner du 5 septembre. La distance jusqu'à Irkoutsk n'était plus que de cinq cents verstes. Rien en arrière ne signalait l'avant-garde tartare. Michel Strogoff était donc fondé à penser que son voyage ne serait plus entravé, et que dans huit jours, dans dix au plus, il serait en présence du grand-duc.

En sortant de Biriousinsk, un lièvre vint à traverser le chemin, à trente pas en avant de la *kibitka*.

— Ah! fit Nicolas.

— Qu'as-tu, ami? demanda vivement Michel Strogoff, comme un aveugle que le moindre bruit tient en éveil.

— Tu n'as pas vu?... dit Nicolas, dont la souriante figure s'était subitement assombrie.

Puis il ajouta :

— Ah! non! tu n'as pu voir, et c'est heureux pour toi, petit père!

— Mais je n'ai rien vu, dit Nadia.

— Tant mieux! tant mieux! Mais moi... j'ai vu!...

— Qu'était-ce donc? demanda Michel Strogoff.

– Un lièvre qui vient de croiser notre route! répondit Nicolas.

En Russie, lorsqu'un lièvre croise la route d'un voyageur, la croyance populaire veut que ce soit le signe d'un malheur prochain.

Cependant, en dépit du fâcheux pronostic, la journée s'écoula sans aucun accident.

Le lendemain, 6 septembre, à midi, la *kibitka* fit halte au bourg d'Alsalevsk, aussi désert que l'était toute la contrée environnante.

Là, sur le seuil d'une maison, Nadia trouva deux de ces couteaux à lame solide, qui servent aux chasseurs sibériens. Elle en remit un à Michel Strogoff, qui le cacha sous ses vêtements, et elle garda l'autre pour elle. La *kibitka* n'était plus qu'à soixante-quinze verstes de Nijni-Oudinsk.

Nicolas, pendant ces deux journées, n'avait pu reprendre sa bonne humeur habituelle. Le mauvais présage l'avait affecté plus qu'on ne le pourrait croire, et lui, qui jusqu'alors n'était jamais resté une heure sans parler, tombait parfois dans de longs mutismes dont Nadia avait peine à le tirer.

À partir d'Ekaterinbourg, la route d'Irkoutsk prend le plus court pour atteindre la capitale de la Sibérie orientale, en franchissant les dernières rampes des monts Sayansk.

La *kibitka* courait donc sur cette route. Oui, courait! On sentait bien que Nicolas ne songeait plus à ménager son cheval, et que lui aussi avait maintenant hâte d'arriver. Malgré toute sa résignation un peu fataliste, il ne se croirait plus en sûreté que dans les murs d'Irkoutsk.

Cependant, quelques observations qu'il fit, et dont Nadia contrôla la justesse en les transmettant à Michel Strogoff, donnèrent à croire que la série des épreuves n'était peut-être pas close pour eux.

En effet, si le territoire avait été depuis Krasnoïarsk respecté dans ses productions naturelles, ses forêts portaient maintenant trace du feu et du fer, les prairies qui s'étendaient latéralement à la route étaient dévastées, et il était évident que quelque troupe importante avait passé par là.

Trente verstes avant Nijni-Oudinsk, les indices d'une dévastation récente ne purent plus être méconnus, et il était impossible de les attribuer à d'autres qu'aux Tartares.

En effet, ce n'étaient plus seulement des champs foulés du pied des chevaux, des forêts entamées à la hache. Les quelques maisons éparses au long de la route n'étaient pas seulement vides : les unes avaient été en partie démolies, les autres à demi incendiées. Des empreintes de balles se voyaient sur leurs murs.

Pendant la journée suivante, le passage récent d'une importante troupe de cavaliers et de fantassins s'accusa de plus en plus. Des fumées furent aperçues au-dessus de l'horizon. La *kibitka* marcha avec précaution. Quelques maisons des bourgades abandonnées brûlaient encore, et, certainement, l'incendie n'y avait pas été allumé depuis plus de vingt-quatre heures.

Enfin, dans la journée du 8 septembre, la *kibitka* s'arrêta. Le cheval refusait d'avancer. Serko aboyait lamentablement.

— Qu'y a-t-il? demanda Michel Strogoff.

— Un cadavre! répondit Nicolas, qui se jeta hors de la *kibitka*.

Ce cadavre était celui d'un moujik, horriblement mutilé et déjà froid.

Nicolas se signa. Puis, aidé de Michel Strogoff, il transporta ce cadavre sur le talus de la route. Il aurait voulu lui donner une sépulture décente, l'enterrer profondément, afin que les carnassiers de la steppe ne pussent s'acharner sur ses misérables restes, mais Michel Strogoff ne lui en laissa pas le temps.

— Partons, ami, partons! s'écria-t-il. Nous ne pouvons nous retarder, même d'une heure!

Et la *kibitka* reprit sa marche.

D'ailleurs, si Nicolas eût voulu rendre les derniers devoirs à tous les morts qu'il allait maintenant rencontrer sur la grande route sibérienne, il n'aurait pu y suffire! Aux approches de Nijni-Oudinsk, ce fut par vingtaines que l'on trouva de ces corps, étendus sur le sol.

Il fallait pourtant continuer à suivre ce chemin jusqu'au moment où il serait manifestement impossible de le faire, sans tomber entre les mains des envahisseurs. L'itinéraire ne fut donc pas modifié, et pourtant, dévastations et ruines s'accumulaient à chaque bourgade. Tous ces villages, dont les noms indiquent qu'ils ont été fondés par des exilés polonais, avaient été livrés aux horreurs du pillage et de l'incendie.

Ce jour-là, vers quatre heures du soir, Nicolas signala à l'horizon les hauts clochers des églises de Nijni-Oudinsk. Ils étaient couronnés de grosses volutes de vapeurs qui ne devaient pas être des nuages.

Nicolas et Nadia regardaient et communiquaient à Michel Strogoff le résultat de leurs observations. Il fallait prendre un parti. Si la ville était abandonnée, on pouvait la traverser sans risque, mais si, par un mouvement inexplicable, les Tartares l'occupaient, on devait à tout prix la tourner.

— Avançons prudemment, dit Michel Strogoff, mais avançons!

Une verste fut encore parcourue.

— Ce ne sont pas des nuages, ce sont des fumées! s'écria Nadia. Frère, on incendie la ville!

Au même instant, une douzaine de cavaliers se jetaient sur la route, et la *kibitka* était entourée. Michel Strogoff, Nadia et Nicolas, sans même avoir eu le temps de se reconnaître, étaient prisonniers et entraînés rapidement vers Nijni-Oudinsk.

Une demi-heure après l'attaque des cavaliers tartares, Michel Strogoff, Nicolas et Nadia entraient à Nijni-Oudinsk. Le fidèle chien les avait suivis, mais de loin. Ils ne devaient pas séjourner dans la ville, qui était en flammes et que les derniers maraudeurs allaient quitter.

Les prisonniers furent donc jetés sur des chevaux et entraînés rapidement, Nicolas, résigné comme toujours, et Nadia, nullement ébranlée dans sa foi en Michel Strogoff. Michel Strogoff, attaché à la selle d'un Tartare, dut suivre à pied le détachement.

Le lendemain, 11 septembre, le détachement franchissait la bourgade de Chibarlinskoï.

Alors un incident se produisit, qui devait avoir des conséquences très graves.

La nuit était venue. Les cavaliers tartares, ayant fait halte, s'étaient plus ou moins enivrés. Ils allaient repartir.

Nadia, qui jusqu'alors, et comme par miracle, avait été respectée de ces soldats, fut insultée par l'un d'eux.

Michel Strogoff n'avait pu voir ni l'insulte, ni l'insulteur, mais Nicolas avait vu pour lui.

Alors, tranquillement, sans avoir réfléchi, sans peut-être avoir la conscience de son action, Nicolas alla droit au soldat, et, avant que celui-ci eût pu faire un mouvement pour l'arrêter, saisissant un pistolet aux fontes de sa selle, il le lui déchargea en pleine poitrine.

L'officier qui commandait le détachement accourut aussitôt au bruit de la détonation.

Les cavaliers allaient écharper le malheureux Nicolas, mais, à un signe de l'officier, on le garrotta, on le mit en travers sur un cheval, et le détachement repartit au galop.

La corde qui attachait Michel Strogoff, rongée par lui, se brisa dans l'élan inattendu du cheval, et son cavalier, à demi ivre, emporté dans une course rapide, ne s'en aperçut même pas.

Michel Strogoff et Nadia se trouvèrent seuls sur la route

CHAPITRE IX

Dans la steppe

Il était dix heures du soir. Depuis trois heures et demie, le soleil avait disparu derrière l'horizon. Il n'y avait pas une maison, pas une hutte en vue. Les derniers Tartares se perdaient dans le lointain. Michel Strogoff et Nadia étaient bien seuls.

– Que vont-ils faire de notre ami? s'écria la jeune fille.

Michel Strogoff ne répondit pas.

Immobile, la tête appuyée sur ses mains, à quoi pensait-il? Entendait-il même Nadia lui parler?

Nadia reprit la main de Michel Strogoff, et ils partirent. Le lendemain matin, 12 septembre, vingt verstes plus loin, au bourg de Toulounovskoï, tous deux faisaient une courte halte. Le bourg était incendié et désert. Pendant toute la nuit, Nadia avait cherché si le cadavre de Nicolas n'avait pas été abandonné sur la route, mais ce fut en vain qu'elle fouilla les ruines et qu'elle regarda parmi les morts. Jusqu'alors, Nicolas semblait avoir été épargné. Mais ne le réservait-on pas pour quelque cruel supplice, lorsqu'il serait arrivé au camp d'Irkoutsk?

Nadia, épuisée par la faim, dont son compagnon souffrait cruellement aussi, fut assez heureuse pour trouver dans une maison du bourg une certaine quantité de viande sèche. Michel Strogoff et la jeune fille se chargèrent de tout ce qu'ils purent emporter. Leur nourriture était ainsi assurée pour plusieurs jours, et, quant à l'eau, elle ne devait pas leur manquer dans une contrée que sillonnent mille petits affluents de l'Angara.

Ils se remirent en route. Michel Strogoff allait d'un pas assuré et ne le ralentissait que pour sa compagne. Nadia, ne voulant pas rester en arrière, se forçait à marcher. Heureusement, son compagnon ne pouvait voir à quel état misérable la fatigue l'avait réduite.

Cependant, Michel Strogoff le sentait.

– Quand tu ne pourras plus marcher, je te porterai, Nadia.

Le 15 septembre, trois jours plus tard, tous deux atteignaient la bourgade de Kouitounskoï, à soixante-dix verstes de Toulounovskoï. La jeune fille ne marchait plus sans d'extrêmes souffrances. Ses pieds endoloris pouvaient à peine la soutenir. Mais elle résistait, elle luttait contre la fatigue, et sa seule pensée était celle-ci: «Puisqu'il ne peut pas me voir, j'irai jusqu'à ce que je tombe!»

Soixante verstes séparent Kouitounskoï de Kimilteiskoï, petite bourgade située à peu de distance du

Dinka, tributaire de l'Angara. Michel Strogoff ne songeait pas sans appréhension à l'obstacle que cet affluent d'une certaine importance plaçait sur sa route. Mais, ce cours d'eau une fois franchi, aucun fleuve, aucune rivière n'interromprait plus la route qui rejoignait Irkoutsk à deux cent trente verstes de là.

Il ne fallut pas moins de trois jours pour atteindre Kimilteiskoï. Nadia se traînait. Quelle que fût son énergie morale, la force physique allait lui manquer. Michel Strogoff ne le savait que trop !

Le 18 septembre, à dix heures du soir, tous deux atteignirent enfin Kimilteiskoï. Du haut d'une colline, Nadia aperçut une ligne un peu moins sombre à l'horizon. C'était le Dinka. Quelques éclairs se réfléchissaient dans ses eaux, éclairs sans tonnerre qui illuminaient l'espace.

Nadia conduisit son compagnon à travers la bourgade ruinée. La cendre des incendies était froide. Il y avait au moins cinq ou six jours que les derniers Tartares étaient passés.

Arrivée aux dernières maisons de la bourgade, Nadia se laissa tomber sur un banc de pierre.

— Ne veux-tu pas te reposer quelques heures ?

— J'aurais voulu passer le Dinka, répondit Michel Strogoff, j'aurais voulu le mettre entre nous et l'avant-garde de l'émir. Mais tu ne peux plus même te traîner, ma pauvre Nadia !

— Viens, Michel, répondit Nadia, qui saisit la main de son compagnon et l'entraîna.

C'était à deux ou trois verstes de là que le Dinka coupait la route d'Irkoutsk. Ce dernier effort que lui demandait son compagnon, la jeune fille voulut le tenter. Tous deux marchèrent donc à la lueur des éclairs. Ils traversaient alors un désert sans limites, au milieu duquel se perdait la petite rivière.

Soudain, Michel Strogoff et Nadia s'arrêtèrent, comme si leurs pieds eussent été saisis dans quelque crevasse du sol. Un aboiement avait traversé la steppe.

— Entends-tu? dit Nadia.

Puis, un cri lamentable lui succéda, un cri désespéré, comme le dernier appel d'un être humain qui va mourir.

— Nicolas! Nicolas! s'écria la jeune fille, poussée par quelque sinistre pressentiment.

Et elle, qui tout à l'heure se traînait à peine, recouvra soudain ses forces sous l'empire d'une violente surexcitation.

Quelques minutes après, tous deux n'étaient plus qu'à une demi-verste de la rivière. Michel Strogoff prêtait l'oreille. Nadia regardait cette plaine, imprégnée d'effluves lumineux, qui miroitait comme une glace, mais elle ne vit rien. Et, cependant, une voix s'éleva encore, qui, cette fois, murmura d'un ton plaintif:

— Michel!...

Puis, un chien, tout sanglant, bondit jusqu'à Nadia. C'était Serko.

Soudain, Serko poussa un nouvel aboiement et

s'élança vers un gigantesque oiseau qui rasait la terre.

C'était un vautour. Lorsque Serko se précipita vers lui, il s'enleva, mais, revenant à la charge, il frappa le chien! Celui-ci bondit encore vers le vautour!... Un coup du formidable bec s'abattit sur sa tête, et, cette fois, Serko retomba sans vie sur le sol.

En même temps, un cri d'horreur échappait à Nadia.

— Là... là! dit-elle.

Une tête sortait du sol! Elle l'eût heurtée du pied, sans l'intense clarté que le ciel jetait sur la steppe.

Nadia tomba, à genoux, près de cette tête.

Nicolas, enterré jusqu'au cou, suivant l'atroce coutume tartare, avait été abandonné dans la steppe, pour y mourir de faim et de soif, et peut-être sous la dent des loups ou le bec des oiseaux de proie. Supplice horrible pour cette victime que le sol emprisonne! Depuis trois jours, Nicolas attendait un secours qui devait arriver trop tard!

Les vautours avaient aperçu cette tête au ras du sol, et, depuis quelques heures, le chien défendait son maître contre ces féroces oiseaux!

Michel Strogoff creusa la terre avec son couteau pour en exhumer ce vivant!

Les yeux de Nicolas, fermés jusqu'alors, se rouvrirent. Il reconnut Michel et Nadia. Puis:

— Adieu, amis, murmura-t-il. Je suis content de vous avoir revus! Priez pour moi!...

Et ces paroles furent les dernières.

Michel Strogoff continua de creuser ce sol, qui, fortement foulé, avait la dureté du roc, et il parvint enfin à en retirer le corps de l'infortuné. Il écouta si son cœur battait encore!... Il ne battait plus.

Il voulut alors l'ensevelir, afin qu'il ne restât pas exposé sur la steppe, et ce trou, dans lequel Nicolas avait été enfoui vivant, il l'élargit, il l'agrandit de manière à pouvoir l'y coucher mort! Le fidèle Serko devait être placé près de son maître!

En ce moment, un grand tumulte se produisit sur la route, distante au plus d'une demi-verste. Michel Strogoff écouta. Au bruit, il reconnut qu'un détachement d'hommes à cheval s'avançait vers le Dinka.

— Nadia! Nadia! dit-il à voix basse.

— Les Tartares! murmura-t-elle.

C'était, en effet, l'avant-garde de l'émir, qui défilait rapidement sur la route d'Irkoutsk.

— Ils ne m'empêcheront pas de l'enterrer! dit Michel Strogoff.

Et il continua sa besogne. Bientôt, le corps de Nicolas, les mains jointes sur la poitrine, fut couché dans cette tombe. Michel Strogoff et Nadia, agenouillés, prièrent une dernière fois pour le pauvre être, inoffensif et bon, qui avait payé de sa vie son dévouement envers eux.

— Et maintenant, dit Michel Strogoff, en rejetant la terre, les loups de la steppe ne le dévoreront pas!

Puis, sa main menaçante s'étendit vers la troupe de cavaliers qui passait:

— En route, Nadia! dit-il.

Michel Strogoff ne pouvait plus suivre le chemin, maintenant occupé par les Tartares. Il lui fallait se jeter à travers la steppe et tourner Irkoutsk. Il n'avait donc pas à se préoccuper de franchir le Dinka.

Nadia ne pouvait plus se traîner, mais elle pouvait voir pour lui. Il la prit dans ses bras et s'enfonça dans le sud-ouest de la province.

Plus de deux cents verstes lui restaient à parcourir. Comment les fit-il? Comment ne succomba-t-il pas à tant de fatigues? Comment put-il se nourrir en route? Par quelle surhumaine énergie arriva-t-il à passer les premières rampes des monts Sayansk? Ni Nadia ni lui n'auraient pu le dire!

Et cependant, douze jours après, le 2 octobre, à six heures du soir, une immense nappe d'eau se déroulait aux pieds de Michel Strogoff.

C'était le lac Baïkal.

CHAPITRE X

Baïkal et Angara

Une cinquantaine d'individus se trouvaient réunis à l'angle que forme la pointe sud-ouest du lac. Nadia aperçut tout d'abord ce groupe, lorsque Michel Strogoff, la portant entre ses bras, déboucha du défilé des montagnes.

La jeune fille dut craindre un instant que ce ne fût

un détachement tartare, envoyé pour battre les rives du Baïkal, auquel cas la fuite leur eût été interdite à tous deux. Mais Nadia fut promptement rassurée à cet égard.

– Des Russes! s'écria-t-elle.

Et, après ce dernier effort, ses paupières se fermèrent et sa tête retomba sur la poitrine de Michel Strogoff.

Mais ils avaient été aperçus, et quelques-uns de ces Russes, courant à eux, amenèrent l'aveugle et la jeune fille au bord d'une petite grève à laquelle était amarré un radeau.

Le radeau allait partir.

Ces Russes étaient des fugitifs, de conditions diverses, que le même intérêt avait réunis en ce point du Baïkal. Repoussés par les éclaireurs tartares, ils cherchaient à se réfugier dans Irkoutsk, et ne pouvant y arriver par terre, depuis que les envahisseurs avaient pris position sur les deux rives de l'Angara, ils espéraient l'atteindre en descendant le cours du fleuve qui traverse la ville.

Leur projet fit bondir le cœur de Michel Strogoff. Une dernière chance entrait dans son jeu. Mais il eut la force de dissimuler, voulant garder plus sévèrement que jamais son incognito.

Toute embarcation manquait en cet endroit. Il avait fallu y suppléer. Un radeau, ou plutôt un train de bois, semblable à ceux qui dérivent ordinairement sur les rivières sibériennes, avait été construit.

À ceux qui l'interrogèrent, Michel Strogoff ne dit rien des faits qui s'étaient passés à Tomsk. Il se donna pour un habitant de Krasnoïarsk qui n'avait pu gagner Irkoutsk avant que les troupes de l'émir fussent arrivées sur la rive gauche du Dinka.

À huit heures du soir, les amarres furent larguées, et, sous l'action du courant, le radeau suivit le littoral. De grandes perches, maniées par quelques robustes moujiks, suffisaient à rectifier sa direction.

Un vieux marinier du Baïkal avait pris le commandement du radeau. On a dit que des Russes de conditions diverses avaient pris place sur le radeau. En effet, aux moujiks indigènes, hommes, femmes, vieillards et enfants, s'étaient joints deux ou trois pèlerins, surpris par l'invasion pendant leur voyage, quelques moines et un pope. Ces divers religieux, groupés à l'avant du radeau, priaient à intervalles réguliers, élevant la voix au milieu de cette silencieuse nuit, et, à la fin de chaque verset de leur prière, le *Slava Bogu*, «Gloire à Dieu», s'échappait de leurs lèvres.

Aucun incident ne marqua cette navigation. Nadia était restée plongée dans un assoupissement profond. Michel Strogoff avait veillé près d'elle.

Au jour naissant, le radeau, retardé par une brise assez violente qui contrariait l'action du courant, était encore à quarante verstes de l'embouchure de l'Angara. Très vraisemblablement, il ne pourrait pas l'atteindre avant trois ou quatre heures du soir. Ce n'était pas un inconvénient, au contraire, car les fugitifs descendraient alors le fleuve pendant la nuit, et l'ombre devait favoriser leur arrivée à Irkoutsk.

La seule crainte que manifesta plusieurs fois le vieux marinier fut relative à la formation des glaces à la surface des eaux. La nuit avait été extrêmement froide. On voyait des glaçons assez nombreux filer vers l'ouest sous l'impulsion du vent.

Pendant la belle saison, le port de Livenitchnaïa est une station d'embarquement ou de débarquement pour les voyageurs du lac Baïkal, soit qu'ils se rendent à Kiakhta, dernière ville de la frontière russo-chinoise, soit qu'ils en reviennent. Il est donc très fréquenté par les steam-boats et tous les petits caboteurs du lac.

Mais, en ce moment, Livenitchnaïa était abandonnée. Ses habitants n'avaient pu rester exposés aux déprédations des Tartares, qui couraient maintenant les deux rives de l'Angara. Ils avaient envoyé à Irkoutsk la flottille de bateaux et de barques, qui hiverne ordinairement dans leur port, et, munis de tout ce qu'ils pouvaient emporter, ils s'étaient réfugiés à temps dans la capitale de la Sibérie orientale.

Le vieux marinier ne s'attendait donc pas à recueillir de nouveaux fugitifs au port de Livenitchnaïa, et cependant, au moment où le radeau accostait, deux passagers, sortant d'une maison déserte, accoururent à toutes jambes sur la berge.

Nadia, assise à l'arrière, regardait d'un œil distrait.

Un cri faillit lui échapper. Elle saisit la main de Michel Strogoff, qui, à ce mouvement, releva la tête.

— Qu'as-tu, Nadia? demanda-t-il.

— Nos deux compagnons de route, Michel.

— Ce Français et cet Anglais **que** nous avons rencontrés dans les défilés de l'Oural?

— Oui.

Michel Strogoff tressaillit, car le sévère incognito dont il ne voulait pas se départir risquait d'être dévoilé.

— Nadia, dit-il, dès que ce Français et cet Anglais seront embarqués, prie-les de venir près de moi!

C'étaient, en effet, Harry Blount et Alcide Jolivet, que, non le hasard, mais la force des événements avait conduits au port de Livenitchnaïa, comme elle y avait amené Michel Strogoff.

Les deux journalistes s'embarquèrent, et Nadia les vit prendre place à l'avant du radeau.

Harry Blount était toujours le froid Anglais, qui lui avait à peine adressé la parole pendant toute la traversée des monts Oural.

Alcide Jolivet semblait être un peu plus grave que d'ordinaire, et l'on conviendra que sa gravité se justifiait par celle des circonstances.

Alcide Jolivet était donc installé à l'avant du radeau, lorsqu'il sentit une main s'appuyer sur son bras. Il se retourna et reconnut Nadia, la sœur de celui qui était, non plus Nicolas Korpanoff, mais Michel Strogoff, courrier du czar.

Un cri de surprise allait lui échapper, lorsqu'il vit la jeune fille porter un doigt à ses lèvres.

— Venez, lui dit Nadia.

Et, d'un air indifférent, Alcide Jolivet, faisant signe à Harry Blount de l'accompagner, la suivit.

Mais, si la surprise des journalistes avait été grande à rencontrer Nadia sur ce radeau, elle fut sans bornes, quand ils aperçurent Michel Strogoff, qu'ils ne pouvaient croire vivant.

À leur approche, Michel Strogoff n'avait pas bougé. Alcide Jolivet s'était retourné vers la jeune fille.

— Il ne vous voit pas, messieurs, dit Nadia. Les Tartares lui ont brûlé les yeux! Mon pauvre frère est aveugle!

Un vif sentiment de pitié se peignit sur la figure d'Alcide Jolivet et de son compagnon.

Un instant après, tous deux, assis près de Michel Strogoff, lui serraient la main et attendaient qu'il leur parlât.

— Messieurs, dit Michel Strogoff à voix basse, vous ne devez pas savoir qui je suis, ni ce que je suis venu faire en Sibérie. Je vous demande de respecter mon secret. Me le promettez-vous?

— Sur l'honneur, répondit Alcide Jolivet.

— Sur ma foi de gentleman, ajouta Harry Blount.

Une demi-heure plus tard, le radeau, après avoir quitté le petit port de Livenitchnaïa, s'engageait dans le fleuve. Il était cinq heures du soir. La nuit allait venir. Elle devait être très obscure et très froide aussi, car la température était déjà au-dessous de zéro.

Alcide Jolivet et Harry Blount, s'ils avaient promis le secret à Michel Strogoff, ne le quittèrent cependant pas. Ils causèrent à voix basse, et l'aveugle, complétant ce qu'il savait déjà par ce qu'ils lui apprirent, put se faire une idée exacte de l'état des choses.

Il était certain que les Tartares investissaient actuellement Irkoutsk, et que les trois colonnes avaient opéré leur jonction. On ne pouvait donc douter que l'émir et Ivan Ogareff ne fussent devant la capitale.

Mais pourquoi cette hâte d'y arriver que montrait le courrier du czar, maintenant que la lettre impériale ne pouvait plus être remise par lui au grand-duc, et qu'il n'en connaissait pas le contenu? Alcide Jolivet et Harry Blount ne le comprirent pas plus que ne l'avait compris Nadia.

D'ailleurs, il ne fut question du passé qu'au moment où Alcide Jolivet crut devoir dire à Michel Strogoff:

– Nous vous devons presque des excuses pour ne vous avoir pas serré la main avant notre séparation au relais d'Ichim.

– Non, vous aviez droit de me croire un lâche!

– En tout cas, ajouta Alcide Jolivet, vous avez magnifiquement knouté la figure de ce misérable, et il en portera longtemps la marque!

– Non, pas longtemps! répondit simplement Michel Strogoff.

Pendant ce temps, les pèlerins continuaient à haute voix leurs prières, et le vieux marinier, repoussant les glaçons qui le serraient de trop près, maintenait imperturbablement le radeau au milieu du rapide courant de l'Angara.

CHAPITRE XI

Entre deux rives

À huit heures du soir, ainsi que l'état du ciel l'avait fait pressentir, une obscurité profonde enveloppa toute la contrée. La lune, étant nouvelle, ne devait pas se lever sur l'horizon. Du milieu du fleuve, les rives restaient invisibles. Les falaises se confondaient à une faible hauteur avec ces nuages lourds qui se déplaçaient à peine. Par intervalles, quelques souffles venaient de l'est et semblaient expirer sur cette étroite vallée de l'Angara.

À bord du radeau régnait maintenant un absolu silence. Depuis qu'il descendait le cours du fleuve, la voix des pèlerins ne se faisait plus entendre. Les fugitifs, étendus sur la plate-forme, rompaient à peine par la saillie de leurs corps la ligne horizontale des eaux. Le vieux marinier, couché à l'avant près de ses hommes, s'occupait seulement d'écarter les glaçons, manœuvre qui se faisait sans bruit.

Pour un homme qui comptait atteindre bientôt son but, Michel Strogoff semblait être singulièrement calme. Il ne craignait plus qu'une dernière et mauvaise chance : c'était que le radeau ne fût absolument arrêté par un barrage de glaçons avant d'avoir atteint Irkoutsk.

Nadia, remise par ces quelques heures de repos, avait retrouvé cette énergie physique que la misère avait pu briser quelquefois, sans avoir jamais ébranlé son énergie morale. Elle songeait aussi qu'au cas où Michel Strogoff ferait un nouvel effort pour atteindre son but, elle devrait être là pour le guider. Mais, en même temps qu'elle s'approchait d'Irkoutsk, l'image de son père se dessinait plus nettement à son esprit. Elle le voyait dans la ville investie, loin de ceux qu'il chérissait, mais – car elle n'en doutait pas – luttant contre les envahisseurs avec tout l'élan de son patriotisme. Avant quelques heures, si le Ciel les favorisait enfin, elle serait dans ses bras.

Quant à Alcide Jolivet et à Harry Blount, ils n'avaient qu'une seule et même pensée : c'est que la situation était extrêmement dramatique, et que, bien mise en scène, elle fournirait une chronique des plus intéressantes.

Mais un péril d'une autre nature menaçait les fugitifs. Celui-là, ils ne pouvaient le prévoir, et, surtout, ils ne pouvaient pas y parer. Ce fut à Alcide Jolivet que le hasard le signala, et voici dans quelle circonstance.

Alcide Jolivet, couché du côté droit du radeau, avait laissé sa main pendre au fil de l'eau. Soudain, il fut surpris de l'impression que lui causa le contact du courant à sa surface. Il semblait être de consistance visqueuse, comme s'il eût été formé d'une huile minérale. Alcide Jolivet, contrôlant alors le toucher par l'odorat, ne put s'y tromper. C'était bien une couche de naphte liquide, qui surnageait à la partie supérieure du courant de l'Angara et coulait avec lui !

Le radeau flottait-il donc réellement sur cette substance qui est si éminemment combustible ? D'où venait ce naphte ? Était-ce un phénomène naturel qui l'avait projeté à la surface de l'Angara, ou devait-il servir comme un engin destructeur, mis en œuvre par les Tartares ? Ceux-ci voulaient-ils porter l'incendie jusque dans Irkoutsk par des moyens que les droits de la guerre ne justifient jamais entre nations civilisées ?

Telles furent les deux questions que se posa Alcide Jolivet, mais de cet incident il crut devoir n'instruire que Harry Blount, et tous deux furent d'accord pour ne point alarmer leurs compagnons en leur révélant ce nouveau danger.

On sait que le sol de l'Asie centrale est comme une éponge imprégnée de carbures d'hydrogène liquides. Au port de Bakou, sur la frontière persane, à la presqu'île d'Abchéron, sur la Caspienne, dans l'Asie Mineure, en Chine, dans le Youg-Hyan, dans le Birman, les sources d'huiles minérales sourdent par milliers à la surface des terrains. C'est le «pays de l'huile», semblable à celui qui porte maintenant ce nom dans le Nord-Amérique.

Durant certaines fêtes religieuses, principalement au port de Bakou, les indigènes, adorateurs du feu, lancent à la surface de la mer le naphte liquide, qui surnage, grâce à sa densité inférieure à celle de l'eau. Puis, la nuit venue, lorsqu'une couche d'huile minérale s'est ainsi répandue sur la Caspienne, ils l'enflamment et se donnent l'incomparable spectacle d'un océan de feu qui ondule et déferle sous la brise.

Mais ce qui n'est qu'une réjouissance à Bakou eût été un désastre sur les eaux de l'Angara. Que le feu fût mis par malveillance ou imprudence, en un clin d'œil l'inflammation se fût propagée jusqu'au-delà d'Irkoutsk.

Cependant, le radeau dérivait rapidement au milieu des glaçons, dont les rangs se pressaient de plus en plus.

Jusqu'alors, aucun détachement tartare n'avait été signalé sur les berges de l'Angara, ce qui indiquait que le radeau n'était pas encore arrivé à la hauteur de leurs avant-postes. Cependant, vers dix heures du soir, Harry Blount crut voir de nombreux corps noirs qui se mouvaient à la surface des glaçons. Ces ombres, sautant de l'un à l'autre, se rapprochaient rapidement.

«Des Tartares!» pensa-t-il. Et, se glissant près du vieux marinier qui se tenait à l'avant, il lui montra ce mouvement suspect.

Le vieux marinier regarda attentivement.

– Ce ne sont que des loups, dit-il. J'aime mieux ça que des Tartares. Mais il faut se défendre, et sans bruit!

En effet, les fugitifs eurent à lutter contre ces féroces carnassiers, que la faim et le froid jetaient à travers la province. Les femmes et les enfants se groupèrent au centre du radeau, et les hommes, les uns armés de perches, les autres de leur couteau, la plupart de bâtons, se mirent en mesure de repousser les assaillants. Ils ne faisaient pas entendre un cri, mais les hurlements des loups déchiraient l'air.

— Ça ne finira donc jamais ! disait Alcide Jolivet, en manœuvrant son poignard, rouge de sang.

Les fugitifs, épuisés, faiblissaient visiblement alors. Le combat tournait à leur désavantage. En ce moment, un groupe de dix loups de haute taille, rendus féroces par la colère et la faim, les yeux brillant dans l'ombre comme des braises, envahirent la plate-forme du radeau. Alcide Jolivet et son compagnon se jetèrent au milieu de ces redoutables animaux, et Michel Strogoff rampait vers eux, lorsqu'un changement de front se produisit soudain.

En quelques secondes, les loups eurent abandonné non seulement le radeau, mais aussi les glaçons épars sur le fleuve. Tous ces corps noirs se dispersèrent, et il fut bientôt constant qu'ils avaient en toute hâte regagné la rive droite du fleuve.

C'est qu'il fallait à ces loups les ténèbres pour agir, et qu'alors une intense clarté éclairait tout le cours de l'Angara.

C'était la lueur d'un immense incendie. La bourgade de Poshkavsk brûlait tout entière. Cette fois, les Tartares étaient là, accomplissant leur œuvre. La conflagration de la bourgade s'opérait avec une violence extraordinaire. Aux crépitements de l'incendie se mêlaient les hurlements des Tartares.

Cependant, il devenait nécessaire de manœuvrer avec plus de précision au milieu des glaçons qui se resserraient.

Michel Strogoff revint à l'arrière, là où Nadia

l'attendait. Il s'approcha de la jeune fille, il lui prit la main et lui posa cette invariable question : « Nadia, es-tu prête ? » à laquelle elle répondit comme toujours :

— Je suis prête !

Pendant quelques verstes encore, le radeau continua de dériver au milieu des glaces flottantes. Si l'Angara se resserrait, il se formerait un barrage, et, conséquemment, il y aurait impossibilité de suivre le courant. Déjà la dérive se faisait beaucoup plus lentement. À chaque instant, c'étaient des chocs ou des détours. Ici, un abordage à éviter, là, une passe à prendre. Enfin, retards très inquiétants.

En effet, il n'y avait plus que quelques heures de nuit. Si les fugitifs n'atteignaient pas Irkoutsk avant cinq heures du matin, ils devaient perdre tout espoir d'y entrer jamais.

Or, à une heure et demie, malgré tous les efforts qui furent tentés, le radeau vint buter contre un épais barrage et s'arrêta définitivement. Les glaçons, qui dérivaient en amont, se jetèrent sur lui, le pressèrent contre l'obstacle et l'immobilisèrent, comme s'il eût échoué sur un récif.

— Viens, Nadia, murmura Michel Strogoff à l'oreille de la jeune fille. Il s'agit de traverser le barrage, lui dit-il tout bas. Guide-moi, mais que personne ne nous voie quitter le radeau !

Nadia obéit. Dix minutes plus tard, le bord inférieur du barrage était atteint. Là, les eaux de l'Angara redevenaient libres. Quelques glaçons, détachés peu à peu du champ, reprenaient le courant et descendaient vers la ville.

Nadia comprit ce que voulait tenter Michel Strogoff. Elle vit un de ces glaçons qui ne tenait plus que par une étroite langue.

— Viens, dit Nadia.

Et tous deux se couchèrent sur ce morceau de glace, qu'un léger balancement dégagea du barrage Le glaçon commença à dériver. Le lit du fleuve s'élargissant, la route était libre.

Pendant une demi-heure, le courant entraîna rapidement le glaçon qui portait Michel Strogoff et Nadia. À tout moment, ils pouvaient craindre qu'il ne s'effondrât sous eux. Pris dans le fil des eaux, il suivait le milieu du fleuve, et il ne serait nécessaire de lui imprimer une direction oblique que lorsqu'il s'agirait d'accoster les quais d'Irkoutsk.

Michel Strogoff, les dents serrées, l'oreille au guet, ne prononçait pas une seule parole. Jamais il n'avait été si près du but. Il sentait qu'il allait l'atteindre !…

Vers deux heures du matin, une double rangée de lumières étoila le sombre horizon dans lequel se confondaient les deux rives de l'Angara. À droite, c'étaient les lueurs jetées par Irkoutsk. À gauche, les feux du camp tartare. Michel Strogoff n'était plus qu'à une demi-verste de la ville.

— Enfin ! murmura-t-il.

Mais, soudain, Nadia poussa un cri.

À ce cri, Michel Strogoff se redressa sur le glaçon, qui vacillait. Sa main se tendit vers le haut de l'Angara. Sa figure, tout éclairée de reflets bleuâtres, devint effrayante à voir, et alors, comme si ses yeux se fussent rouverts à la lumière :

— Ah ! s'écria-t-il, Dieu lui-même est donc contre nous !

CHAPITRE XII

Irkoutsk

Irkoutsk, capitale de la Sibérie orientale, est une ville peuplée, en temps ordinaire, de trente mille habitants. Une berge assez élevée, qui se dresse sur la rive droite de l'Angara, sert d'assise à ses églises, que domine une haute cathédrale, et à ses maisons, disposées dans un pittoresque désordre.

La garnison d'Irkoutsk se composait alors d'un régiment de cosaques à pied, qui comptait environ deux mille hommes, et d'un corps de gendarmes sédentaires, portant le casque et l'uniforme bleu galonné d'argent.

En outre, on le sait, et par suite de circonstances particulières, le frère du czar était enfermé dans la ville depuis le début de l'invasion. Le grand-duc n'avait plus qu'à organiser la résistance, et c'est ce qu'il fit avec cette fermeté et ce sang-froid dont il a donné, en d'autres circonstances, d'incontestables preuves.

Irkoutsk, fondée en 1611, est située au confluent de l'Irkout et de l'Angara, sur la rive droite de ce fleuve. Deux ponts en bois, bâtis sur pilotis, disposés de manière à s'ouvrir dans toute la largeur du chenal pour les besoins de la navigation, réunissent la ville à ses faubourgs qui s'étendent sur la rive gauche. De ce côté, la défense était facile. Les faubourgs furent abandonnés, les ponts détruits. Le passage de l'Angara, fort large en cet endroit, n'eût pas été possible sous le feu des assiégés.

Mais le fleuve pouvait être franchi en amont et en aval de la ville, et, par conséquent, Irkoutsk risquait d'être attaquée par sa partie est, qu'aucun mur d'enceinte ne protégeait.

C'est donc à des travaux de fortification que les bras furent occupés tout d'abord. On travailla jour et nuit. Huit jours avant que les Tartares parussent sur l'Angara, des murailles en terre avaient été élevées. Un fossé, inondé par les eaux de l'Angara, était creusé entre l'escarpe et la contrescarpe. La ville ne pouvait plus être enlevée par un coup de main. Il fallait l'investir et l'assiéger.

Les Tartares occupèrent donc la rive droite du fleuve; puis, ils remontèrent vers la ville, et ils vinrent définitivement prendre position pour le siège, après avoir entièrement investi Irkoutsk.

Ivan Ogareff, ingénieur habile, était très certainement en état de diriger les opérations d'un siège régulier; mais les moyens matériels lui manquaient pour opérer rapidement. Aussi, avait-il espéré surprendre Irkoutsk, le but de tous ses efforts.

On voit que les choses avaient tourné autrement qu'il ne comptait. D'une part, marche de l'armée tartare retardée par la bataille de Tomsk; de l'autre, rapidité imprimée par le grand-duc aux travaux de défense: ces deux raisons avaient suffi à faire échouer ses projets. Il se trouva donc dans la nécessité de faire un siège en règle.

Cependant, sous son inspiration, l'émir essaya deux fois d'enlever la ville au prix d'un grand sacrifice d'hommes. Il jeta ses soldats sur les fortifications en terre qui présentaient quelques points faibles; mais les cosaques, les gendarmes, les citoyens, leur opposèrent une vive résistance, et les Tartares durent rentrer dans leurs positions.

Ivan Ogareff pensa alors à demander à la trahison ce que la force ne pouvait lui donner. On sait que son projet était de pénétrer dans la ville, d'arriver jusqu'au grand-duc, de capter sa confiance, et, le moment venu, de livrer une des portes aux assiégeants; puis, cela fait, d'assouvir sa vengeance sur le frère du czar.

La tsigane Sangarre, qui l'avait accompagné au camp de l'Angara, le poussa à mettre ce projet à exécution.

Un soir, le 2 octobre, un conseil de guerre fut tenu dans le grand salon du palais du gouverneur général. C'est là que résidait le grand-duc.

Le grand-duc, le général Voranzoff et le gouverneur de la ville, le chef des marchands, auxquels s'étaient réunis un certain nombre d'officiers supérieurs, venaient d'arrêter diverses résolutions.

— Messieurs, dit le grand-duc, vous connaissez exactement notre situation. J'ai le ferme espoir que nous pourrons tenir jusqu'à l'arrivée des troupes d'Iarkoutsk. Nous saurons bien alors chasser ces hordes barbares, et il ne dépendra pas de moi qu'ils ne paient chèrement cet envahissement du territoire moscovite.

Se retournant alors vers le maître de police :

— Vous n'avez rien à me dire, monsieur? lui demanda-t-il.

— J'ai à faire connaître à Votre Altesse, répondit le maître de police, une supplique qui lui est adressée par mon intermédiaire.

— Adressée par... ?

— Par les exilés de Sibérie, qui, Votre Altesse le sait, sont au nombre de cinq cents dans la ville.

— Que demandent les exilés? dit le grand-duc.

— Ils demandent à Votre Altesse, répondit le maître de police, l'autorisation de former un corps spécial et d'être placés en tête à la première sortie.

— Mais il leur faut un chef, répondit le grand-duc. Quel sera-t-il?

— Ils voudraient faire agréer à Votre Altesse, dit le maître de police, l'un d'eux qui s'est distingué en plusieurs occasions.

— C'est un Russe?

— Oui, un Russe des provinces baltiques.

— Il se nomme… ?

— Wassili Fédor.

Cet exilé était le père de Nadia.

— Général, répondit le grand-duc, général, veuillez me le présenter immédiatement.

Les ordres du grand-duc furent exécutés, et une demi-heure ne s'était pas écoulée, que Wassili Fédor était introduit en sa présence.

C'était un homme ayant quarante ans au plus, grand, la physionomie sévère et triste. On sentait que toute sa vie se résumait dans ce mot : la lutte, et qu'il avait lutté et souffert.

— Wassili Fédor, lui dit le grand-duc, tes compagnons d'exil ont demandé à former un corps d'élite. Ils n'ignorent pas que, dans ces corps, il faut savoir se faire tuer jusqu'au dernier ?

— Ils ne l'ignorent pas, répondit Wassili Fédor.

— Ils te veulent pour chef. Consens-tu à te mettre à leur tête ?

— Oui, si le bien de la Russie l'exige.

— Commandant Fédor, dit le grand-duc, tu n'es plus exilé.

— Merci, Altesse, mais puis-je commander à ceux qui le sont encore ?

— Ils ne le sont plus !

C'était la grâce de tous ses compagnons d'exil, maintenant ses compagnons d'armes, que lui accordait le frère du czar ! Wassili Fédor serra avec émotion la main que lui tendit le grand-duc, et il sortit. Celui-ci, se retournant alors vers ses officiers :

— Le czar ne refusera pas d'accepter la lettre de grâce que je tire sur lui ! dit-il en souriant. Il nous faut des héros pour défendre la capitale de la Sibérie, et je viens d'en faire.

Dix heures du soir venaient de sonner. Le grand-duc allait congédier ses officiels et se retirer dans ses appartements, quand un certain tumulte se produisit en dehors du palais.

Presque aussitôt, la porte du salon s'ouvrit, un aide de camp parut, et, s'avançant vers le grand-duc :

— Altesse, dit-il, un courrier du czar !

CHAPITRE XIII

Un courrier du czar

Un homme entra. Il avait l'air épuisé de fatigue. Il portait un costume de paysan sibérien, usé, déchiré même. Un bonnet moscovite lui couvrait la tête. Une balafre, mal cicatrisée, lui coupait la figure. Cet homme avait évidemment suivi une longue et pénible route. Ses chaussures, en mauvais état, prouvaient même qu'il avait dû faire à pied une partie de son voyage.

— Son Altesse le grand-duc ? s'écria-t-il en entrant.

Le grand-duc alla à lui :

— Tu es courrier du czar ? demanda-t-il.

— Oui, Altesse.

— Tu viens… ?

— De Moscou.

— Tu te nommes… ?

— Michel Strogoff.

C'était Ivan Ogareff. Il avait pris le nom et la qualité de celui qu'il croyait réduit à l'impuissance. Ni le grand-duc, ni personne ne le connaissait à Irkoutsk, et il n'avait pas même eu besoin de déguiser ses traits. Comme il était en mesure de prouver sa prétendue identité, nul ne pourrait douter de lui. Il venait donc, soutenu par une volonté de fer, précipiter par la trahison et par l'assassinat le dénouement du drame de l'invasion.

— Tu as une lettre du czar ?

— La voici.

Et Ivan Ogareff remit au grand-duc la lettre impériale, réduite à des dimensions presque microscopiques.

— Cette lettre t'a été donnée dans cet état ? demanda le grand-duc.

— Non, Altesse, mais j'ai dû en déchirer l'enveloppe, afin de mieux la dérober aux soldats de l'émir.

— As-tu donc été prisonnier des Tartares ?

— Oui, Altesse, pendant quelques jours, répondit Ivan Ogareff. De là vient que, parti le 15 juillet de Moscou, comme l'indique la date de cette lettre, je ne suis arrivé à Irkoutsk que le 2 octobre, après soixante-dix-neuf jours de voyage.

Le grand-duc prit la lettre. Il la déplia et reconnut la signature du czar, précédée de la formule sacramentelle, écrite de sa main. Donc, nul doute possible sur l'authenticité de cette lettre, ni même sur l'identité du courrier. Si sa physionomie farouche avait d'abord inspiré une méfiance dont le grand-duc ne laissa rien voir, cette méfiance disparut tout à fait.

Le grand-duc resta quelques instants sans parler. Il lisait lentement la lettre, afin de bien en pénétrer le sens. Reprenant ensuite la parole :

— Michel Strogoff, tu connais le contenu de cette lettre ? demanda-t-il.

— Oui, Altesse. Je pouvais être forcé de la détruire pour qu'elle ne tombât pas entre les mains des Tartares, et, le cas échéant, je voulais en rapporter exactement le texte à Votre Altesse.

— Tu sais que cette lettre nous enjoint de mourir à Irkoutsk plutôt que de rendre la ville ?

— Je le sais.

— Eh bien, entends ceci, Michel Strogoff. Aucun secours ne dût-il jamais m'arriver ni de l'ouest ni de l'est, et ces barbares fussent-ils six cent mille, je ne rendrai pas Irkoutsk !

L'œil méchant d'Ivan Ogareff se plissa légèrement. Le traître semblait dire que le frère du czar comptait sans la trahison.

Le grand-duc allait et venait dans le salon, sous les yeux d'Ivan Ogareff, qui le couvaient comme une proie réservée à sa vengeance. Il s'arrêtait aux fenêtres, il regardait les feux du camp tartare, il cherchait à percevoir les bruits, dont la plupart provenaient du choc des glaçons entraînés par le courant de l'Angara.

Un quart d'heure se passa sans qu'il fît aucune autre question. Puis, reprenant la lettre, il en relut un passage et dit:

— Tu sais, Michel Strogoff, qu'il est question dans cette lettre d'un traître dont j'aurai à me méfier?

— Oui, Altesse.

— Il doit essayer d'entrer dans Irkoutsk sous un déguisement, de capter ma confiance, puis, l'heure venue, de livrer la ville aux Tartares.

— Je sais tout cela, Altesse, et je sais aussi qu'Ivan Ogareff a juré de se venger personnellement du frère du czar.

— Pourquoi?

— On dit que cet officier a été condamné par le grand-duc à une dégradation humiliante.

— Oui... je me souviens... Mais il la méritait, ce misérable, qui devait plus tard servir contre son pays et y conduire une invasion de barbares!

— Sa Majesté le czar, répondit Ivan Ogareff, tenait surtout à ce que vous fussiez prévenu des criminels projets d'Ivan Ogareff contre votre personne.

— Bien, Michel Strogoff, répondit le grand-duc. Tu as montré du courage et du zèle pendant cette difficile mission. Je ne t'oublierai pas. As-tu quelque faveur à me demander?

— Aucune, si ce n'est celle de me battre à côté de Votre Altesse, répondit Ivan Ogareff.

— Soit, Michel Strogoff. Je t'attache dès aujourd'hui à ma personne, et tu seras logé dans ce palais

Ivan Ogareff salua militairement le grand-duc n'oubliant pas qu'il était capitaine au corps des courriers du czar, et il se retira.

Ivan Ogareff, ayant toute facilité de voir, d'observer, d'agir, s'occupa dès le lendemain de visiter les remparts. Partout il fut accueilli avec de cordiales félicitations par les officiers, les soldats, les citoyens. Ce courrier du czar était pour eux comme un lien qui venait de les rattacher à l'empire. Ivan Ogareff raconta donc, avec un aplomb qui ne se démentit jamais, les fausses péripéties de son voyage. Puis, adroitement, sans trop y insister d'abord, il parla de la gravité de la situation, exagérant, et les succès des Tartares, et les forces dont ces barbares disposaient. À l'entendre, les secours attendus seraient insuffisants, si même ils arrivaient, et il était à craindre qu'une bataille livrée sous les murs d'Irkoutsk ne fût aussi funeste que les batailles de Kolyvan, de Tomsk et de Krasnoïarsk.

Une circonstance toute naturelle fit que, dès son arrivée à Irkoutsk, des rapports fréquents s'établirent entre Ivan Ogareff et l'un des plus braves défenseurs de la ville, Wassili Fédor.

On sait de quelles inquiétudes ce malheureux père était dévoré. Si sa fille, Nadia Fédor, avait quitté la

Russie à la date assignée par la dernière lettre qu'il avait reçue de Riga, qu'était-elle devenue?

Ivan Ogareff ne connaissait pas Nadia, bien qu'il l'eût rencontrée au relais d'Ichim le jour où elle s'y trouvait avec Michel Strogoff. Mais alors, il n'avait pas plus fait attention à elle qu'aux deux journalistes qui étaient en même temps dans la maison de poste. Il ne put donc donner aucune nouvelle de sa fille à Wassili Fédor.

— Mais à quelle époque, demanda Ivan Ogareff, votre fille a-t-elle dû sortir du territoire russe?

— À peu près en même temps que vous, répondit Wassili Fédor.

— J'ai quitté Moscou le 15 juillet.

— Nadia a dû, elle aussi, quitter Moscou à cette époque. Sa lettre me le disait formellement.

— Elle était à Moscou le 15 juillet? demanda Ivan Ogareff.

- Oui, certainement, à cette date.

— Eh bien!... répondit Ivan Ogareff.

Puis se reprenant:

— Mais non, je me trompe... J'allais confondre les dates... ajouta-t-il. Il est malheureusement trop probable que votre fille a dû franchir la frontière, et vous ne pouvez avoir qu'un seul espoir, c'est qu'elle se soit arrêtée en apprenant les nouvelles de l'invasion tartare!

Ivan Ogareff venait de commettre là, gratuitement, un acte de cruauté véritable. Wassili Fédor se retira le cœur brisé. Après cet entretien, son dernier espoir venait de s'anéantir.

Pendant les deux jours qui suivirent, 3 et 4 octobre, le grand-duc demanda plusieurs fois le prétendu Michel Strogoff et lui fit répéter tout ce qu'il avait entendu dans le cabinet impérial du Palais-Neuf. Ivan Ogareff, préparé à toutes ces questions, répondit sans jamais hésiter. Il ne cacha pas, à dessein, que le gouvernement du czar avait été absolument surpris par l'invasion, que le soulèvement avait été préparé dans le plus grand secret, que les Tartares étaient déjà maîtres de la ligne de l'Obi, quand les nouvelles arrivèrent à Moscou, et, enfin, que rien n'était prêt dans les provinces russes pour jeter en Sibérie les troupes nécessaires à repousser les envahisseurs. Puis, Ivan Ogareff, entièrement libre de ses mouvements, commença à étudier Irkoutsk, l'état de ses fortifications, leurs points faibles, afin de profiter ultérieurement de ses observations, au cas où quelque circonstance l'empêcherait de consommer son acte de trahison. Il s'attacha plus particulièrement à examiner la porte de Bolchaïa, qu'il voulait livrer.

C'était le lendemain, dans la nuit du 5 au 6 octobre, à deux heures du matin, qu'Ivan Ogareff avait résolu de livrer Irkoutsk.

CHAPITRE XIV

La nuit du 5 au 6 octobre

Le plan d'Ivan Ogareff avait été combiné avec le plus grand soin, et, sauf des chances improbables, il devait réussir. Il importait que la porte de Bolchaïa fût libre au moment où il la livrerait. Aussi, à ce moment, était-il indispensable que l'attention des assiégés fût attirée sur un autre point de la ville. De là, une diversion convenue avec l'émir.

Cette diversion devait s'opérer du côté du faubourg d'Irkoutsk, en amont et en aval du fleuve, sur sa rive droite. L'attaque sur ces deux points serait très sérieusement conduite, et, en même temps, une tentative de passage de l'Angara serait feinte sur la rive gauche. La porte de Bolchaïa serait donc probablement abandonnée, d'autant plus que, de ce côté, les avant-postes tartares, reportés en arrière, sembleraient avoir été levés.

On était au 5 octobre. Avant vingt-quatre heures, la capitale de la Sibérie orientale devait être entre les mains de l'émir, et le grand-duc au pouvoir d'Ivan Ogareff.

Pendant cette journée, la garnison et la population d'Irkoutsk furent constamment sur le qui-vive. Toutes les mesures que commandait une attaque imminente des points jusqu'alors respectés avaient été prises. Le grand-duc et le général Voranzoff visitèrent les postes, renforcés par leurs ordres. Le corps d'élite de Wassili Fédor occupait le nord de la ville, mais avec injonction de se porter où le danger serait le plus pressant. La rive droite de l'Angara avait été garnie du peu d'artillerie dont on avait pu disposer. Avec ces mesures, prises à temps, grâce aux recommandations faites si à propos par Ivan Ogareff, il y avait lieu d'espérer que l'attaque préparée ne réussirait pas. Dans ce cas, les Tartares, momentanément découragés, remettraient sans doute à quelques jours une nouvelle tentative contre la ville. Or les troupes attendues par le grand-duc pouvaient arriver d'une heure à l'autre. Le salut ou la perte d'Irkoutsk ne tenait donc qu'à un fil.

Toutefois, vers dix heures du soir, l'état du fleuve se modifia sensiblement, à l'extrême surprise des assiégés et maintenant à leur désavantage. Le passage, impraticable jusqu'alors, devint possible tout à coup. Le lit de l'Angara se refit libre. Les glaçons, qui avaient dérivé en grand nombre depuis quelques jours, disparurent en aval, et c'est à peine si cinq ou six occupèrent alors l'espace compris entre les deux rives. Ils ne présentaient même plus la structure de ceux qui se forment dans les conditions ordinaires et sous l'influence d'un froid régulier. Ce n'étaient que de simples morceaux, arrachés à quelque ice-field, dont les brisures, nettement coupées, ne se relevaient pas en bourrelets rugueux.

Le passage de l'Angara était donc ouvert aux assiégeants. De là, nécessité pour les Russes de veiller avec plus d'attention que jamais.

Aucun incident ne se produisit jusqu'à minuit. Du côté de l'est, au-delà de la porte de Bolchaïa, calme complet. Pas un feu dans ce massif des forêts qui se confondaient à l'horizon avec les basses nuées du ciel.

Au camp de l'Angara, agitation assez grande, attestée par le fréquent déplacement des lumières.

Une heure s'écoula encore. Rien de nouveau.

Deux heures du matin allaient sonner au clocher de la cathédrale d'Irkoutsk, et pas un mouvement n'avait encore trahi chez les assiégeants d'intentions hostiles.

Ivan Ogareff, debout près d'une fenêtre, attendait que l'heure d'agir fût arrivée.

Deux heures sonnèrent. C'était le moment de provoquer la diversion convenue avec les Tartares, disposés pour l'assaut.

Ivan Ogareff ouvrit la fenêtre de sa chambre, et il alla se poster à l'angle nord de la terrasse latérale.

Au-dessous de lui, dans l'ombre, passaient les eaux de l'Angara, qui mugissaient en se brisant aux arêtes des piliers.

Ivan Ogareff tira une amorce de sa poche, il l'enflamma, et il alluma un peu d'étoupe, imprégnée de pulvérin, qu'il lança dans le fleuve...

C'était par ordre d'Ivan Ogareff que des torrents d'huile minérale avaient été lancés à la surface de l'Angara !

Des sources de naphte étaient exploitées au-dessus d'Irkoutsk, sur la rive droite, entre la bourgade de Poshkavsk et la ville. Ivan Ogareff avait résolu d'employer ce moyen terrible de porter l'incendie dans Irkoutsk. Il s'empara donc des immenses réservoirs qui renfermaient le liquide combustible. Il suffisait de démolir un pan de mur pour en provoquer l'écoulement à grands flots.

C'est ce qui avait été fait dans cette nuit, quelques heures auparavant, et c'est pourquoi le radeau qui portait le vrai courrier du czar, Nadia et les fugitifs, flottait sur un courant d'huile minérale.

Voilà comment Ivan Ogareff entendait la guerre ! Allié des Tartares, il agissait comme un Tartare, et contre ses propres compatriotes !

L'étoupe avait été lancée sur les eaux de l'Angara. En un instant, comme si le courant eût été fait d'alcool, tout le fleuve s'enflamma, en amont et en aval, avec une rapidité électrique.

À ce moment même, la fusillade éclata au nord et au sud de la ville. Les batteries du camp de l'Angara tirèrent à toute volée. Plusieurs milliers de Tartares se précipitèrent à l'assaut des terrassements. Les maisons des berges, construites en bois, prirent feu de toutes parts. Une immense clarté dissipa les ombres de la nuit.

— Enfin ! dit Ivan Ogareff.

Ivan Ogareff rentra dans sa chambre, alors brillamment éclairée par les flammes de l'Angara, qui dépassaient la balustrade des terrasses. Puis, il se disposa à sortir.

Mais, à peine avait-il ouvert la porte, qu'une

femme se précipitait dans cette chambre, les vêtements trempés, les cheveux en désordre.

— Sangarre! s'écria Ivan Ogareff, dans le premier
moment de surprise, et n'imaginant pas que ce pût
être une autre femme que la tsigane.

Ce n'était pas Sangarre, c'était Nadia.

Au moment où, réfugiée sur le glaçon, la jeune fille
avait jeté un cri en voyant l'incendie se propager avec
le courant de l'Angara, Michel Strogoff l'avait saisie
dans ses bras, et il avait plongé avec elle pour chercher
dans les profondeurs mêmes du fleuve un abri contre
les flammes. On sait que le glaçon qui les portait ne se
trouvait plus alors qu'à une trentaine de brasses du
premier quai, en amont d'Irkoutsk.

Après avoir nagé sous les eaux, Michel Strogoff
était parvenu à prendre pied sur le quai avec Nadia.

Michel Strogoff touchait enfin au but! Il était à
Irkoutsk!

— Au palais du gouverneur! dit-il à Nadia.

Moins de dix minutes après, tous deux arrivaient à
l'entrée de ce palais, dont les longues flammes de
l'Angara léchaient les assises de pierre, mais que l'incendie ne pouvait atteindre.

Au-delà, les maisons de la berge flambaient toutes.

Michel Strogoff et Nadia entrèrent sans difficulté
dans ce palais, ouvert à tous. Au milieu de la confusion générale, nul ne les remarqua, bien que leurs
vêtements fussent trempés.

Une foule d'officiers venant chercher des ordres, et

de soldats courant les exécuter, encombrait la grande salle du rez-de-chaussée. Là, Michel Strogoff et la jeune fille, dans un brusque remous de la multitude affolée, se trouvèrent séparés l'un de l'autre.

Nadia courait, éperdue, à travers les salles basses, appelant son compagnon, demandant à être conduite devant le grand-duc.

Une porte, donnant sur une chambre inondée de lumière, s'ouvrit devant elle. Elle entra, et elle se trouva inopinément en face de celui qu'elle avait vu à Ichim, qu'elle avait vu à Tomsk, en face de celui dont, un instant plus tard, la main scélérate allait livrer la ville !

— Ivan Ogareff ! s'écria-t-elle.

En entendant prononcer son nom, le misérable frémit. Son vrai nom connu, tous ses plans échouaient. Il n'avait qu'une chose à faire : tuer l'être, quel qu'il fût, qui venait de le prononcer.

Ivan Ogareff se jeta sur Nadia ; mais la jeune fille, un couteau à la main, s'adossa au mur, décidée à se défendre.

— Ivan Ogareff ! cria encore Nadia, sachant bien que ce nom détesté ferait venir à son secours.

Ivre de fureur, Ivan Ogareff tira un poignard de sa ceinture, s'élança sur Nadia et l'accula dans un angle de la salle.

C'en était fait d'elle, lorsque le misérable, soulevé soudain par une force irrésistible, alla rouler à terre.

— Michel ! s'écria Nadia.

C'était Michel Strogoff.

— Ne crains rien, Nadia, dit-il, en se plaçant entre elle et Ivan Ogareff.

— Ah! s'écria la jeune fille, prends garde, frère!... Le traître est armé!... Il voit clair, lui!...

Ivan Ogareff, pâle de fureur et de honte, se souvint qu'il portait une épée. Il la tira du fourreau et revint à la charge. Il avait reconnu, lui aussi, Michel Strogoff. Un aveugle! Il n'avait, en somme, affaire qu'à un aveugle! La partie était belle pour lui!

Nadia, épouvantée et confiante à la fois, contemplait avec une sorte d'admiration cette scène terrible. Il semblait que le calme de Michel Strogoff l'eût gagnée subitement. Michel Strogoff n'avait que son couteau sibérien pour toute arme, il ne voyait pas son adversaire, armé d'une épée, c'est vrai. Mais par quelle grâce du Ciel semblait-il le dominer, et de si haut? Comment, sans presque bouger, faisait-il face toujours à la pointe même de son épée?

Ivan Ogareff épiait avec une anxiété visible son étrange adversaire. Ce calme surhumain agissait sur lui. En vain, faisant appel à sa raison, se disait-il que, dans l'inégalité d'un tel combat, tout l'avantage était en sa faveur! Cette immobilité de l'aveugle le glaçait. Il avait cherché des yeux la place où il devait frapper sa victime... Il l'avait trouvée!... Qui donc le retenait d'en finir?

Enfin, il fit un bond et porta en pleine poitrine un coup de son épée à Michel Strogoff.

213

Un mouvement imperceptible du couteau de l'aveugle détourna le coup. Michel Strogoff n'avait pas été touché, et, froidement, il sembla attendre, sans même la défier, une seconde attaque.

Une sueur glacée coulait du front d'Ivan Ogareff. Il recula d'un pas, puis fonça de nouveau. Mais, pas plus que le premier, ce second coup ne porta. Une simple parade du large couteau avait suffi à faire dévier l'inutile épée du traître.

Tout à coup, Ivan Ogareff jeta un cri. Une lumière inattendue s'était faite dans son cerveau.

— Il voit, s'écria-t-il, il voit!…

Et, comme un fauve essayant de rentrer dans son antre, pas à pas, terrifié, il recula jusqu'au fond de la salle.

Alors, la statue s'anima, l'aveugle marcha droit à Ivan Ogareff, et se plaçant en face de lui :

— Oui, je vois! dit-il. Je vois le coup de knout dont je t'ai marqué, traître et lâche! Je vois la place où je vais te frapper! Défends ta vie! C'est un duel que je daigne t'offrir! Mon couteau me suffira contre ton épée!

«Il voit! se disait Nadia. Dieu secourable, est-ce possible?»

Ivan Ogareff se sentit perdu. Mais, par un sursaut de sa volonté, reprenant courage, il se précipita l'épée en avant sur son impassible adversaire. Les deux lames se croisèrent, mais au choc du couteau de Michel Strogoff, manié par cette main de chasseur sibérien, l'épée vola en éclats, et le misérable, atteint au cœur, tomba sans vie sur le sol.

À ce moment, la porte de la chambre, repoussée du dehors, s'ouvrit. Le grand-duc, accompagné de quelques officiers, se montra sur le seuil.

Le grand-duc s'avança, il reconnut à terre le cadavre de celui qu'il croyait être le courrier du czar. Et alors, d'une voix menaçante :

— Qui a tué cet homme ? demanda-t-il.

— Moi, répondit Michel Strogoff.

Un des officiers lui posa son revolver sur la tempe, prêt à faire feu.

— Ton nom ? demanda le grand-duc, avant de donner l'ordre de lui fracasser la tête.

— Altesse, répondit Michel Strogoff, demandez-moi plutôt le nom de l'homme étendu à vos pieds !

— Cet homme, je le reconnais ! C'est un serviteur de mon frère ! C'est le courrier du czar !

— Cet homme, Altesse, n'est pas un courrier du czar ! C'est Ivan Ogareff !

— Ivan Ogareff ? s'écria le grand-duc.

— Oui, Ivan le traître !

— Mais toi, qui es-tu donc ?

— Michel Strogoff !

CHAPITRE XV

Conclusion

Michel Strogoff n'était pas, n'avait jamais été aveugle. Un phénomène purement humain, à la fois moral et physique, avait neutralisé l'action de la lame incandescente que l'exécuteur de Féofar avait fait passer devant ses yeux.

On se rappelle qu'au moment du supplice, Marfa Strogoff était là, tendant les mains vers son fils. Michel Strogoff la regardait comme un fils peut regarder sa mère, quand c'est pour la dernière fois. Remontant à flots de son cœur à ses yeux, des larmes, que sa fierté essayait en vain de retenir, s'étaient amassées sous ses paupières et, en se volatilisant sur la cornée, lui avaient sauvé la vue. La couche de vapeur formée par ses larmes, s'interposant entre le sabre ardent et ses prunelles, avait suffi à annihiler l'action de la chaleur. C'est un effet identique à celui qui se produit, lorsqu'un ouvrier fondeur, après avoir trempé sa main dans l'eau, lui fait impunément traverser un jet de fonte en fusion.

Michel Strogoff avait immédiatement compris le danger qu'il aurait couru à faire connaître son secret à qui que ce fût. Il avait senti le parti qu'il pourrait, au contraire, tirer de cette situation pour l'accomplissement de ses projets. C'est parce qu'on le croirait aveugle, qu'on le laisserait libre. Il fallait donc qu'il fût aveugle, qu'il le fût pour tous, même pour Nadia, qu'il le fût partout en un mot, et que pas un geste, à aucun moment, ne pût faire douter de la sincérité de son rôle. Sa résolution était prise. Sa vie même, il devait la risquer pour donner à tous la preuve de sa cécité, et on sait comment il la risqua.

On comprend, dès lors, que lorsque Ivan Ogareff avait, par une cruelle ironie, placé la lettre impériale devant ses yeux qu'il croyait éteints, Michel Strogoff avait pu lire, avait lu cette lettre qui dévoilait les odieux desseins du traître. De là, cette énergie qu'il déploya pendant la seconde partie de son voyage. De là, cette indestructible volonté d'atteindre Irkoutsk et d'en arriver à remplir de vive voix sa mission. Il savait que la ville devait être livrée! Il savait que la vie du grand-duc était menacée! Le salut du frère du czar et de la Sibérie était donc encore dans ses mains.

En quelques mots, toute cette histoire fut racontée au grand-duc, et Michel Strogoff dit aussi, et avec quelle émotion! la part que Nadia avait prise à ces événements.

— Quelle est cette jeune fille? demanda le grand-duc.

— La fille de l'exilé Wassili Fédor, répondit Michel Strogoff.

— La fille du commandant Fédor, dit le grand-duc, a cessé d'être la fille d'un exilé. Il n'y a plus d'exilés à Irkoutsk!

Nadia, moins forte dans la joie qu'elle ne l'avait été dans la douleur, tomba aux genoux du grand-duc, qui la releva d'une main, pendant qu'il tendait l'autre à Michel Strogoff.

Une heure après, Nadia était dans les bras de son père.

Michel Strogoff, Nadia, Wassili Fédor étaient réunis. Ce fut, de part et d'autre, le plein épanouissement du bonheur.

Les Tartares avaient été repoussés dans leur double attaque contre la ville. Cependant, les défenseurs d'Irkoutsk se tinrent sur leurs gardes, et l'investissement durait toujours

Mais le 7 octobre, dès les premières lueurs du jour, le canon retentit sur les hauteurs qui environnent Irkoutsk.

C'était l'armée de secours qui arrivait sous les ordres du général Kisselef et signalait ainsi sa présence au grand-duc.

Les Tartares n'attendirent pas plus longtemps. Ils ne voulaient pas courir la chance d'une bataille livrée sous les murs de la ville, et le camp de l'Angara fut immédiatement levé.

Irkoutsk était enfin délivrée.

Avec les premiers soldats russes, deux amis de Michel Strogoff étaient entrés, eux aussi, dans la ville. C'étaient les inséparables Blount et Jolivet. En gagnant la rive droite de l'Angara par le barrage de glace, ils avaient pu s'échapper, ainsi que les autres fugitifs, avant que les flammes de l'Angara eussent atteint le radeau.

Leur joie fut grande à retrouver sains et saufs Nadia

et Michel Strogoff, surtout lorsqu'ils apprirent que leur vaillant compagnon n'était pas aveugle. Ce qui amena Harry Blount à libeller ainsi cette observation : « *Fer rouge peut-être insuffisant pour détruire la sensibilité du nerf optique. À modifier !* »

Puis, les deux correspondants, bien installés à Irkoutsk, s'occupèrent à mettre en ordre leurs impressions de voyage. De là, l'envoi à Londres et à Paris de deux intéressantes chroniques relatives à l'invasion tartare, et qui, chose rare, ne se contredisaient guère que sur les points les moins importants.

La campagne, du reste, fut mauvaise pour l'émir et ses alliés. Cette invasion, inutile comme toutes celles qui s'attaquent au colosse russe, leur fut très funeste. Ils se trouvèrent bientôt coupés par les troupes du czar, qui reprirent successivement toutes les villes conquises. En outre, l'hiver fut terrible, et de ces hordes, décimées par le froid, il ne rentra qu'une faible partie dans les steppes de la Tartarie.

La route d'Irkoutsk aux monts Oural était donc libre. Le grand-duc avait hâte de retourner à Moscou, mais il retarda son voyage pour assister à une touchante cérémonie, qui eut lieu quelques jours après l'entrée des troupes russes.

Michel Strogoff avait été trouver Nadia, et, devant son père, il lui avait dit :

— Nadia, ma sœur encore, lorsque tu as quitté Riga pour venir à Irkoutsk, avais-tu laissé derrière toi un autre regret que celui de ta mère ?

— Non, répondit Nadia, aucun et d'aucune sorte.

— Alors, Nadia, dit Michel Strogoff, je ne crois pas que Dieu, en nous mettant en présence, en nous faisant traverser ensemble de si rudes épreuves, ait voulu nous réunir autrement que pour jamais.

La cérémonie du mariage se fit à la cathédrale d'Irkoutsk. Elle fut très simple dans ses détails, très belle par le concours de toute la population militaire et civile, qui voulut témoigner de sa profonde reconnaissance pour les deux jeunes gens, dont l'odyssée était déjà devenue légendaire.

Alcide Jolivet et Harry Blount assistaient naturellement à ce mariage, dont ils voulaient rendre compte à leurs lecteurs.

— Et cela ne vous donne pas envie de les imiter? demanda Alcide Jolivet à son confrère.

— Peuh! fit Harry Blount. Si, comme vous, j'avais une cousine!...

Quelques jours après la cérémonie, Michel et Nadia Strogoff, accompagnés de Wassili Fédor, reprirent la route d'Europe.

À Omsk, la vieille Marfa les attendait dans la petite maison des Strogoff. Elle pressa dans ses bras et avec passion celle qu'elle avait déjà cent fois dans son cœur nommée sa fille. La courageuse Sibérienne eut, ce jour-là, le droit de reconnaître son fils et de se dire fière de lui.

Après quelques jours passés à Omsk, Michel et Nadia Strogoff rentrèrent en Europe, et, Wassili Fédor s'étant fixé à Saint-Pétersbourg, ni son fils ni sa fille n'eurent d'autre occasion de le quitter que pour aller voir leur vieille mère.

Le jeune courrier avait été reçu par le czar, qui l'attacha spécialement à sa personne et lui remit la croix de Saint-Georges.

Michel Strogoff arriva, par la suite, à une haute situation dans l'empire. Mais ce n'est pas l'histoire de ses succès, c'est l'histoire de ses épreuves qui méritait d'être racontée.

Table

DEUXIÈME PARTIE